JC

Amddiffyn
fy
Hun

Amddiffyn fy hun

MARK AIZLEWOOD

mewn cydweithrediad â Ioan Kidd

Gomer

Cyhoeddwyd yn 2009 gan
Wasg Gomer, Llandysul, Ceredigion SA44 4JL.

ISBN 978 1 84851 006 7

Dymuna'r cyhoeddwyr gydnabod cymorth
Cyngor Llyfrau Cymru.

Argraffwyd a rhwymwyd yng Nghymru gan
Wasg Gomer, Llandysul, Ceredigion.

Cynnwys

Rhagair

I first met Mark over twenty-five years ago when he joined the Welsh Senior Squad. I was immediately impressed with his strong personality and strength of character. Over the decade we were in the Welsh squad, travelling the world together, Mark would admit himself that he was not the most naturally talented footballer, but he became one of the first names on the Welsh teamsheet. He would often say, 'I can't play but I can stop those who think they can!' He became an integral and respected part of the Welsh team's success during this period. Throughout our time together playing for Wales, Mark and I formed a friendship that has stood the test of time through three decades.

When the time came for me to finish playing, it was Mark I turned to for help and guidance as I undertook my coaching qualifications, subsequently achieving my UEFA Pro Licence, and I remain indebted to Mark for encouraging me on this pathway. When I was appointed to my first managerial role I had no hesitation in turning to my old friend to be my assistant, and Mark remains, in my opinion, one of the best coaches I have worked with.

Mark has polarised opinions over the years – people LOVE HIM or HATE HIM! But to somebody like me, he remains a true and loyal friend.

Enjoy the Book. . .

Ian Rush

Rhufain 2003

I RUFAIN yr arwain pob ffordd, meddan nhw, ond i ble maen nhw'n mynd os ydych chi eisoes yn y ddinas honno? I ble rydych chi'n mynd nesa os ydych chi wedi cyrraedd diwedd y daith? Mae'n debyg taw dim ond un ateb sydd – 'nôl.

Tua hanner awr wedi tri y bore oedd hi a dyna lle roeddwn i'n sefyll ar bont uchel yng nghanol prifddinas yr Eidal a'r gwynt yn chwythu fel y diawl o 'nghwmpas. Erbyn meddwl, rhaid ei bod hi'n uffernol o oer a hithau'n ganol mis Chwefror, ond wyddoch chi, doeddwn i ddim yn teimlo'n oer o gwbl. Mae'n beth od, ond doeddwn i jest ddim yn teimlo'n oer. A doedd dim ofn arna i chwaith, sy'n rhyfedd achos, fel arfer, mae'n gas gyda fi uchder. Mae'n hala'r bendro arna i, ond yr eiliad honno doedd dim tamaid o ofn arna i wrth i fi sefyll ar ben wal fach a syllu i lawr ar y ceir oedd yn gwibio ar hyd y draffordd dair lôn gant a hanner o droedfeddi oddi tana i, achos dim ond un bwriad oedd gen i, sef neidio.

Beth oedd wedi dod â fi i'r sefyllfa hon? Wel, yn y bôn, dadl gyda fi fy hun, y ddadl waetha i fi ei chael erioed. Ac ar wahanol adegau yn ystod y ddadl honno doedd gen i ddim syniad am amser nac ers faint roeddwn i wedi bod yn sefyll yno. Pum munud? Pum deg munud? Awr? A thrwy gydol y cyfan roeddwn i'n cwestiynu popeth amdana i fy hun, gan bendilio o un eithaf i'r llall. Yng ngolwg pobl eraill, roeddwn i'n dal i fod yn berson llwyddiannus ar yr adeg yma yn fy mywyd. Wedi'r cwbl, roeddwn i wedi llwyddo gyda phopeth wnes i erioed. Y nod o'r dechrau oedd mynd yn bêl-droediwr a dyna wnes i, gan chwarae pêl-droed dros gyfnod o ryw ugain mlynedd, tri deg naw o weithiau dros Gymru. Roeddwn i hefyd wedi chwarae yn Uwchgynghrair Lloegr. Yn syth ar ôl rhoi'r gorau i chwarae dechreuais i fel hyfforddwr a llwyddo i gipio job y Cyfarwyddwr Technegol gydag Ymddiriedolaeth Cymdeithas Bêl-droed Cymru gan deithio ledled Ewrop yn cynrychioli Cymru mewn cynadleddau. Ar y pryd, roeddwn i'n cael fy nhalu'n fwy na'r un pyndit pêl-droed arall yn hanes BBC Cymru. Byddai pobl yn fy nabod ble bynnag byddwn i'n mynd. A dyna lle roeddwn i'n cwestiynu hynny i gyd, yn sefyll fan'na ar y bont. I lawer iawn o bobl ar y tu fas, roedd popeth gyda fi. Job da, hyfforddwr mawr, wyneb enwog ar y teledu. Roedd bywyd da gyda fi. Ond nid fel'na roeddwn i'n teimlo.

Dwi'n cofio edrych i lawr ac yn lle traffordd dair lôn brysur yn llawn ceir, y cwbl y gallwn i ei weld oedd gwely cyfforddus a *duvet* meddal yn aros amdana i, yn barod i roi cwtsh i fi. A dwi'n gwybod pa mor wirion yw hi i ddisgrifio'r drffordd fel'na, ond dyna sut roedd hi'n edrych i fi ar y pryd. Ac fel y dywedais i, doeddwn i ddim yn teimlo'n oer a doedd dim ofn arna i. Rhywle croesawus oedd hwn. A dyma fy rhesymeg yn arwain unwaith eto at y casgliad taw disgyn i'r *duvet* hwnnw oedd y peth gorau allai ddigwydd i fi, er lles pawb.

Roeddwn i wedi cyrraedd fan hyn, y bont yma yng nghanol Rhufain, ar ôl treulio wythnos fawr yn cynrychioli'r FAW mewn cynhadledd a drefnwyd gan UEFA ym Mhortiwgal. I bob pwrpas, wythnos ar y pop oedd hi. Ar ddiwedd yr wythnos honno, a minnau bellach yn Rhufain, roeddwn i wedi bod yn edrych ymlaen at benwythnos rhamantaidd gyda Penny, fy ngwraig. Roedd hi wedi dod i Rufain ar ei phen ei hun, ac ar ôl inni gwrdd yn y ddinas dyma ni'n cyfarfod wedyn ag ambell ffrind gyda'r bwriad o gael penwythnos difyr. Ond chwalais i bob gobaith o hynny a throdd y chwarae'n chwerw iawn diolch i'r hyn wnes i. A nawr roeddwn i'n sefyll ar y bont gan wybod mod i wedi brifo rhywun dwi'n ei charu'n fawr. A sylweddoli hefyd fy mod i wedi gwneud hyn drwy gydol fy mywyd, sef brifo pobl agos – nid o reidrwydd yn gorfforol, ond yn emosiynol. A phenderfynais i taw'r peth gorau y gallwn i ei wneud er lles pawb fyddai rhoi'r gorau i bopeth a gadael y byd hwn. Ond hen fasdad styfnig ydw i a dechreuodd yr ochr yna siarad â fi. Oherwydd y math o berson ydw i – neu *oeddwn i*, achos dwi ddim yn credu mod i fel'na rhagor – doedd neb yn gwybod bod problem gyda fi. Doedd neb yn gwybod mod i'n dioddef a bod rhywbeth mawr o'i le. Felly, taswn i'n neidio, fyddwn i ddim yn rhoi taw ar bopeth oherwydd byddai pobl yn gofyn pam, a hynny am nad oedden nhw wedi sylweddoli. A dechreuais i feddwl y byddai pobl yn ysgrifennu llwyth o gachu amdana i, celwyddau, ac roedd angen iddyn nhw wybod y gwir. A rhyw ymresymu fel'na oeddwn i a'r ddadl yn fy nallu. Dwi'n cofio ystyried dod i lawr oddi ar y bont ar un adeg ac ysgrifennu nodyn i bobl er mwyn egluro pethau, fel y bydden nhw'n gwybod pam wedyn. Allwch chi gredu shwt beth? Mae'n wallgo ond, ar fy ngwir, dyna oedd yn mynd trwy 'mhen i. O leia wedyn, byddai pawb yn gwybod y gwir a thrwy wneud hynny byddwn i'n cael gwared ag un o'r rhesymau oedd yn fy stopio rhag neidio, sef ofn na fyddai'r gwirionedd yn dod mas.

Wrth sefyll yn fan'na a'r ddadl yn mynd rownd a rownd mewn cylch, dwi'n cofio meddwl am fy mhlant, a mwya'n y byd y meddyliwn i amdanyn nhw, mwya'n y byd y cawn fy mherswadio mod i'n gwneud y peth iawn, y peth gorau er eu mwyn nhw a phawb arall. O feddwl am hynny nawr, wrth gwrs, ac o ystyried yr amser da dwi'n ei gael gyda fy mhlant erbyn hyn, galla i weld pa mor gyfan gwbl wirion oedd e. Yn 2003 doedd fy mherthynas â'm plant hŷn ddim yn un wych iawn ac er bod gen i blentyn bach newydd gyda fy ail wraig, Penny, roeddwn i newydd wneud cymaint o ddolur iddi hi, doedd dim lle i fod yn obeithiol. Ond nid perthynas â'r teulu na neb arall oedd ar fai yn y bôn; dwi'n credu bod yr holl helynt yn fwy i'w wneud â'm perthynas â fi fy hun a'r euogrwydd ofnadwy a deimlwn yn sgîl y ffaith fy mod i wedi brifo cymaint o bobl. Tan yr argyfwng hwn, roeddwn i wedi llwyddo i guddio'r teimladau hynny rhag pawb. Dwi'n cymryd y byddai hyd yn oed y bobl agosaf ata i wedi meddwl 'Pam? Roedd popeth yn ei fywyd mor dda.'

Daeth y dadlau yn fy mhen i ben. Dwi'n gallu cofio meddwl mod i wedi gweld yr union deimlad yn cael ei bortreadu mewn ffilmiau. Teimlad o fod yn dawel eich meddwl. Achos dyna'n gwmws fel y teimlwn i. Doeddwn i ddim yn unig, ac roedd 'na ryw heddwch yn fy nghylch. Er fy mod i'n gallu gweld popeth yn glir â'm llygaid, allwn i ddim gweld hewl o 'mlaen i, dim ond man cysurus. A dwi'n cofio'n gwbl gwbl eglur godi un droed oddi ar y wal yn barod i neidio ond, ar yr union eiliad honno, Duw yn unig sy'n gwybod pam, dyma'r Fiat Punto 'ma, dwi'n credu taw dyna oedd e, yn canu'r corn a dwi'n tybio bod hynny wedi fy llusgo 'nôl i ryw fath o realiti – ac os yw'r bobl hynny'n dal i droedio'r ddaear 'ma efallai y darllenan nhw'r llyfr hwn a dod i gysylltiad â fi. Ond, yn ogystal â'r corn yn canu, roedd baner Cymru'n hongian mas trwy'r ffenest. A phan welais i hynny, dwi'n credu bod yr holl ymdrechion i ddal pen rheswm â fi fy hun ynglŷn â beth ffwc roeddwn i ar fin ei wneud wedi ennill y ddadl. Nawr, dwi'n gwybod y bydd pobl yn darllen hyn gan feddwl fy mod i wedi dyfeisio'r cyfan ond, wir ichi, a bod Duw'n fy nharo i'n farw, dyna ddigwyddodd. Aeth rhywun heibio ac, a bod yn onest, doedd dim un rheswm yn y byd pam y byddai'r Ddraig Goch yn chwifio trwy ffenest y car achos roedd tîm rygbi Cymru newydd gael ei racso y prynhawn hwnnw gan yr Eidalwyr gan golli 30–22. Roeddwn innau wedi cerdded mas o'r gêm ar yr hanner gan ffieiddio popeth Cymraeg a Chymreig. Mae'r stadiwm yn Rhufain mewn rhyw fath o barc a dwi'n cofio sefyll wrth un o'r bariau yn y parc ac arllwys cwrw i lawr fy ngwddwg. Efallai taw dyna oedd dechrau'r hyn a allai fod wedi diweddu fy mywyd. Pwy a ŵyr?

Yn y pen draw, mae'n debyg taw i'r car bach oedd yn digwydd mynd heibio ar eiliad dyngedfennol ac i'r Ddraig Goch mae'r diolch. Mae mor syml â hynny. Mae Cymru wastad wedi chwarae rhan anferth yn fy mywyd. Os siaradwch chi ag unrhyw un sydd wedi byw y tu allan i Gymru am gyfnod go hir, yn enwedig pobl o'r byd chwaraeon, maen nhw'n tyfu'n ffyrnig o wladgarol. Pan oeddwn i yn Llundain, er enghraifft, ac yn chwarae pêl-droed dros Charlton, fi oedd yr unig Gymro yn y clwb. Pan mae rhywun yn y sefyllfa yna mae'n hawdd mynd yn wirion o wladgarol. Sa' i'n gwybod, mae'n bosib taw rhyw fath o eironi, ffawd efallai, neu gyd-ddigwyddiad llwyr oedd y busnes 'na ar y bont ond, wir ichi, a dwi'n teimlo hyn yn fy nghalon, tase'r car 'na heb fynd heibio, heb hwnnw a'r corn a'r Ddraig Goch, mae'n bosib y byddai'n stori wahanol iawn. Doedd y bobl yn y car ddim wedi 'ngweld i, mae'n amlwg, ond ar yr union eiliad honno roedd un droed gyda fi yn yr awyr ac roeddwn i'n mynd am y *duvet*.

Doedd dod i lawr oddi ar y wal ddim yn rhywbeth clir roeddwn i wedi penderfynu ei wneud, ond galla i gofio'r eiliad pan gyffyrddodd fy nhraed â'r llawr achos teimlais yr awydd i fyw, a theimlo'r nwyd yn llifo 'nôl i nghorff. Roedd hi fel taswn i wedi sefyll ar ben cebl mil folt a hwnnw'n anfon yr holl ynni 'ma 'nôl ata i. Roeddwn i wedi cael fy mywiogi. Ar yr un pryd yn gwmws dechreuais i lefain y glaw. Dwi ddim yn berson sy'n crio'n hawdd ond roedd hyn i gyd yn beth anferthol. Maen nhw'n dweud bod dyn yn gorfod cyrraedd y gwaelod cyn dechrau dringo lan, ac roeddwn i ar y gwaelod un. Roeddwn i'n gwbl sicr ynglŷn â'r ffordd roeddwn i am fynd. Roeddwn i eisiau cydio unwaith eto yn fy mywyd. Doedd gyda fi ddim clem sut roeddwn i'n mynd i wneud hynny ond gwyddwn taw dyna roeddwn i'n mynd i'w wneud a gwyddwn hefyd na allwn i fod wedi teimlo fel'na heb sefyll ar y bont fel y gwnes i. Mae'r ddau beth yn mynd law yn llaw â'i gilydd.

Ta beth, y peth nesa roeddwn i'n gorfod ei wneud oedd croesi Rhufain yn gyflym achos bod yr heddlu'n chwilio amdana i. Chi'n gweld, oriau cyn hyn oll roeddwn i wedi achosi tipyn o drwbwl mewn gwesty, ymhlith pethau eraill, ac roedden nhw ar fy ôl i. Yr hyn a daniodd y cyfan oedd bod Penny a fi wedi bod yn ymladd yn y gwesty ac roedd rhyw dri neu bedwar o gefnogwyr rygbi wedi gweld y cyfan. Wrth i fi drio gadael dyma'r dynion 'ma oedd yn dystion i beth ddigwyddodd yn dod wyneb yn wyneb â fi ar y ffordd mas a'r cwbl y galla i gofio yw bod un ohonyn nhw wedi camu yn fy ffordd. Y peth nesa welais i oedd y boi 'ma'n gorwedd ar y llawr a'i ffrindiau'n rhedeg bant. Mae'n amlwg fy mod i wedi'i fwrw fe. Erbyn hyn mae cywilydd arna i am yr hyn wnes i ond mae'n rhaid ystyried y peth yn ei gyd-destun. Oedd, roedd 'na yffach o ffrae wedi bod rhwng Penny a fi yn y gwesty a do, bues i'n ymladd â rhywun dwi'n ei charu'n fawr. Ond alcoholig oedd yn gwneud y pethau hyn, alcoholig oedd wedi cyrraedd y gwaelod un. Wedyn, ar ôl y busnes gyda'r cefnogwyr taflais i bot blodau mawr drwy ffenest y gwesty. Dwi'n sylweddoli nawr y gallwn i fod wedi lladd rhywun tase fe wedi glanio ar ei ben e. Fel y gallwch chi ddychmygu, achosodd yr holl beth dipyn o helynt a gwyddwn y byddai'r gwesty'n galw'r heddlu. Felly, cydiais i yn fy mag a bant â fi. Y ffrae honno gyda fy ngwraig oedd man cychwyn y trobwynt yn fy mywyd.

Felly, yn sydyn reit, dyna lle roeddwn i ar y bont, yn unigolyn a oedd newydd ddychwelyd i'r byd 'ma ar ôl dod o fewn trwch blewyn i roi'r gorau i bopeth, ac yn gorfod meddwl sut yffach roeddwn i'n mynd i adael Rhufain a dychwelyd adre heb ddangos fy mhasbort! Roedd synnwyr cyffredin yn dweud wrtha i y byddai dangos fy mhasbort yn tanio rhyw rybudd ar ryw system yn rhywle ac y byddwn i wedi cael fy arestio. Ac roedd yn rhaid i fi osgoi cael fy arestio er mwyn rhoi'r cyfle gorau i fi fy hun a bwrw ymlaen. Roeddwn i'n sylweddoli y byddai'r cyhoeddusrwydd a fyddai'n siŵr o ddod taswn i wedi cael fy arestio, a hynny am rywbeth roedd gen i gywilydd ohono, wedi rhoi stop arna i yn y fan a'r lle. Ond doedd gadael Rhufain a llwyddo i fynd 'nôl i Brydain heb ddangos pasbort ddim mor hawdd ag mae'n swnio.

Felly, bant â fi ar draws y ddinas nes cyrraedd y gwesty lle roedd Tony Clement yn aros. Trefnydd teithiau oedd Tony ac roeddwn i'n ei nabod ers blynyddoedd trwy'r pêl-droed yng Nghymru. A chwarae teg iddo, fe ddaeth e i lawr o'i ystafell am bedwar o'r gloch y bore i wrando arna i.

'Tony, mae 'da fi broblem,' meddwn i.

Wnes i ddim rhoi gormod o fanylion ond fe oedd yr un a'm cynghorodd ynglŷn â sut i adael Rhufain. Dwi ddim yn gwybod a fydd Tony'n cofio gwneud hynny ac mae'n eitha posib ei fod e'n meddwl mod i'n feddw gachu ar y pryd, ond fe gododd e yng nghanol y nos fel'na a, chwarae teg iddo, fe esboniodd e pa ffyrdd oedd 'na i hedfan 'nôl i Brydain – yn gyfreithiol ond heb ddangos pasbort. Nawr, mae gyda fi feddwl eitha ymarferol sy'n gallu rhoi pethau mewn trefn pan mae angen ac roeddwn i'n grediniol bod yr heddlu ar fy ôl i. Mae'n bosib mod i'n gor-ddweud pethau ac yn poeni heb eisiau ar y pryd, ond fe ffoniais i rywun yn nes ymlaen y diwrnod hwnnw ac fe gadarnhaodd fod yr heddlu'n aros wrth y ddesg yn y maes awyr lle roeddwn i fod i hedfan ohono, felly mae'n bosib iawn y byddwn i wedi cael fy arestio. Mae 'na ddau faes awyr yn Rhufain, felly dyma daflu'r tocyn oedd gyda fi a dala tacsi i ben arall y ddinas.

Tra bod hyn oll yn mynd yn ei flaen roedd Penny'n dal i fod yn Rhufain ac yn paratoi i deithio adre gyda'n ffrindiau. Hi oedd yn ganolog i'r holl helynt. Hi a'n ffrindiau. Ac roedd y cyfan yn rhan o'r bywyd roeddwn i'n ei fyw, bywyd a oedd yn teimlo fel celwydd i fi nawr. Ta beth, aeth hi adre ar yr awyren roeddwn innau i fod i'w dal.

Yn y cyfamser fe brynais i docyn arall o Rufain i Filan. Wedyn es i o Filan i Amsterdam, o Amsterdam i Fadrid, ac yna i Ddulyn ac o Ddulyn i Heathrow. Dyna'r unig ffordd y gallwn i fynd 'nôl i Brydain heb ddangos fy mhasbort!

Yn ystod y daith adre, dim ond un peth oedd ar fy meddwl, sef cyrraedd, ond fe wnes i rywbeth arall hefyd. Fe benderfynais i mod i'n gorfod rhoi'r gorau i yfed. Fe ddes i'r casgliad mod i'n twyllo fy hunan trwy ddweud mod i'n yfed achos bod gen i broblemau. O edrych 'nôl, a minnau bellach heb gyffwrdd ag alcohol ers rhai blynyddoedd, dwi'n gallu gweld taw fel arall roedd hi a bod gen i broblemau achos mod i'n yfed. Tan hynny doeddwn i ddim wedi sylweddoli hynny.

Oherwydd y busnes yn Rhufain, doeddwn i ddim eisiau mynd adre i fyw at Penny, ac ar ôl cyrraedd Cymru fe symudais i'r Cathedral Hotel yng Nghaerdydd ac yn fan'na y lluniais i fy nghynllun i ailadeiladu fy mywyd o'r bôn i'r brig. Fy ngham cynta un oedd cysylltu ag Alcoholics Anonymous. Maen nhw'n fudiad gwych, a dyna oedd dechrau'r siwrnai hir a ffrwythlon iawn, siwrnai sydd bellach yn un ddifyr iawn hefyd. Yr hyn doeddwn i ddim yn ei wybod oedd y byddwn i'n aros oddi cartre am gyfnod o dri mis. Chi'n gweld, roedd gohebwyr yn aros amdana i tu fas i'r tŷ. Roedden nhw'n gwybod bod rhywbeth o'i le, wedi gwynto rhywbeth, felly allwn i ddim mynd adre.

Yn ystod y cyfnod hwn roeddwn i'n credu bod popeth rhwng Penny a fi wedi gorffen. Bod y cyfan drosodd. Gant y cant drosodd. Roeddwn i'n dal i weld fy mhlant o'r briodas gynta bob dydd Sul, drwy'r dydd. Cyn hynny roeddwn i wedi mynd i'r llys i drio cael mynediad dros nos iddyn nhw ac ar gyfer gwyliau.

Collais i'r achos. O edrych 'nôl, fyddai hynny ddim wedi bod yn iawn iddyn nhw achos doedd pethau eraill yn fy mywyd ddim mor sefydlog ag y dylsen nhw fod. Dwi'n gallu gweld hynny nawr. Felly, roeddwn i'n dal i weld y plant fel o'r blaen, bob dydd Sul. Pan oeddwn i'n arfer eu gweld nhw cyn hynny, yn ystod y cyfnod pan oeddwn i'n dal i yfed hynny yw, byddwn i'n mynd â nhw 'nôl at eu mam ar ôl treulio'r diwrnod gyda nhw. A byddwn i'n eistedd yn y car ar ôl iddyn nhw fynd i mewn i'r tŷ a thorri 'nghalon. Byddwn i'n crio am ugain munud, nid achos mod i eisiau bod gyda'u mam, sef Maggie fy ngwraig gynta, ond oherwydd nad oedd y plant bendigedig 'ma, sydd wedi tyfu i fod yn llwyddiannus iawn erbyn hyn, yn rhan ohono' i yn y ffordd roeddwn i eisiau iddyn nhw fod. Ond dwi'n hynod o falch fod pethau wedi gwella erbyn hyn.

Yn ogystal â phenderfynu mod i'n mynd i roi'r gorau i alcohol, penderfynias i hefyd mod i'n mynd i adael y BBC a'r FAW, ond fel y clywch chi'n nes ymlaen, fe wnaeth y ddau beth yna ofalu amdanyn nhw eu hunain heb ragor o ymdrech oddi wrtha i. Felly dyma fi'n cychwyn ar y daith tuag at sobri a dwi'n falch i ddweud mod i heb gyffwrdd â diferyn o alcohol ers dydd Sadwrn Chwefror 15, 2003, sef prynhawn y gêm rygbi yn Rhufain a'r prynhawn union cyn helynt y bont. Yn aml bydd pobl yn dweud eu bod nhw eisiau gwneud hyn a'r llall, eu bod nhw am roi'r gorau i smygu neu yfed ond, heb reswm go iawn, dwi'n credu bod hynny'n amhosib. Fy rheswm innau dros stopio oedd fy mod i eisiau byw am y deugain mlynedd nesa a threulio gweddill fy mywyd ar y ddaear 'ma'n trio unioni rhywfaint o'r cam roeddwn i wedi'i wneud yn ystod y deugain mlynedd cynta.

Casnewydd 1973

Mae'n amlwg bod pontydd wedi chwarae rhan fawr yn fy mywyd ond bod rhai fymryn bach yn fwy arwyddocaol nag eraill. Wel, yn llai dramatig ta beth! Dri deg mlynedd cyn busnes anfarwol y bont yn Rhufain roeddwn i'n arfer croesi pont arall yn rheolaidd – Pont Somerton yng Nghasnewydd. A minnau'n fachgen 14 mlwydd oed byddwn i'n croesi Pont Somerton bob dydd Gwener ar ôl ysgol a byddwn i'n llawn cyffro, yn llawn brwdfrydedd, fel pe bawn i'n mynd i goncro'r byd. Roeddwn i'n arfer teimlo fel trên rhydd yn carlamu yn ei flaen a doedd dim byd yn mynd i'm rhwystro. Gan troedfedd oddi tana i roedd rheilffordd, ond doedd gyda fi ddim diddordeb yn honno. Yr unig beth oedd yn bwysig i fi oedd y bont achos hon oedd yn arfer mynd â fi o'r bws at Glwb Pêl-droed Casnewydd. Roeddwn i'n gorfod bod yno erbyn 5 o'r gloch bob dydd Gwener i gasglu £5 o gyflog gan Mr Keith Saunders. I bawb oedd yn gysylltiedig â Chlwb Casnewydd bryd hynny, roedd y boi 'ma'n chwedlonol. Fe yn anad neb arall a gadwodd y clwb i fynd, drwy deg neu drwy dwyll, am sawl blwyddyn. Fe sonia i fwy am hynny yn nes ymlaen.

Felly, dyna lle roeddwn i'n croesi Pont Somerton ar brynhawn dydd Gwener, Hydref y 6ed. Dwi'n cofio'r dyddiad yn iawn. Chi'n gweld, ar fy mhen-blwydd yn 14 oed ar Hydref y 1af roeddwn i wedi arwyddo ffurflenni i chwarae fel bachgen ysgol dros Gasnewydd. Fy nhad, bendith arno, oedd wedi taro'r fargen a llwyddo i gael £5 yr wythnos i fi hyd nes i'r clwb benderfynu y gallwn i droi'n broffesiynol. Roedd hyn yn beth mawr ar y pryd, achos dyna'r tro cynta erioed i glwb Casnewydd dalu unrhyw fachgen ysgol. Y tro cynta yn ei hanes.

Chwe mis cyn hynny, os ca i fynd â chi 'nôl ymhellach, roeddwn i wedi mynd i London Colony i hyfforddi gyda Chlwb Pêl-droed Arsenal. Ychydig cyn hynny roeddwn i wedi chwarae gêm gynrychioliadol dros ysgolion Casnewydd. Ddaeth fy mam a 'nhad, Sid a Betty, erioed i 'ngweld i'n chwarae pêl-droed cynrychioliadol fel bachgen ysgol. Roedd fy mrawd, Steve, eisoes wedi gwneud hynny o 'mlaen i, chi'n gweld, ac felly doedd e ddim yn beth newydd iddyn nhw. Ond rhaid dweud bod hynny wedi fy mrifo i ar y pryd. Ta beth, ar ôl y gêm doedd 'na ddim rhiant ar gael i siarad â sgowt Arsenal a doedd dim amdani iddo felly ond siarad â fi'n uniongyrchol. Dywedodd e wrtha i ei fod e'n awyddus i fi fynd lan i Arsenal am dreial. Tan hynny, roeddwn i wedi bod yn gwbl gysylltiedig â Chasnewydd, a hynny am nifer o flynyddoedd, am fod fy mrawd yn chwarae i'w tîm cynta, a'r cyfan oedd ar fy meddwl i oedd chwarae i Gasnewydd, ond, yn sydyn, dyma fi'n cael cyfle i deithio i Lundain!

Felly, bant â fi yn 1973, yn 13 a hanner mlwydd oed, am wythnos o hyfforddi yn Arsenal a glanio mewn llety gyda bachgen o'r enw David O'Leary, oedd o dras Gwyddelig ac a lwyddodd i wneud tipyn o enw iddo'i hun yn y byd pêl-droed maes o law. Gyda ni'n dau roedd 'na fechgyn o bob rhan o wledydd Prydain a rhannau eraill o Ewrop hefyd, a chwaraeon ni gêm ymarfer ar y dydd Mercher. Yn y stafell newid oedden ni, y naill dîm yn gwisgo lliwiau oddi cartre Arsenal a'r llall yn gwisgo'r lliwiau cartre, ac roeddwn i'n teimlo fel brenin a minnau'n cael gwisgo crys Arsenal yn 13 a hanner mlwydd oed.

Hefyd y bore hwnnw roeddwn i wedi bod yn eistedd yn y cantîn yn y Colony yn yfed paned o de. Fi oedd yr unig Gymro yno ac roedd 'na ddwy sedd wag wrth y bwrdd lle roeddwn i'n eistedd. Yn sydyn reit, dyma'r boi 'ma'n dechrau cerdded tuag ata i. Alan Ball oedd y boi hwnnw ac roedd rhywun arall gydag e. A dechreuais i deimlo rhyw banig mawr achos ar y pryd Alan Ball oedd fy arwr – fe a Billy Bremner. Y rhain oedd y ddau chwaraewr roeddwn i eisiau'u hefelychu. Doeddwn i ddim yn rhy awyddus i fod â gwallt coch nac i fod yn bum troedfedd a chwe modfedd o daldra fel Alan Ball ond roeddwn i am ei efelychu. Yr hyn roeddwn i'n ei hoffi ynglŷn â fe a Billy Bremner oedd eu hagwedd, eu hymroddiad a'u hysbryd. Roedden nhw'n benderfynol o lwyddo yn nannedd popeth. A gwelais i ryw damaid bach ohono' i fy hun ynddyn nhw. Beth bynnag, dyma fe Alan Ball yn cerdded tuag ata i a dwi'n ei gofio'n gofyn,

'Oes rhywun yn eistedd fan hyn?' yn ei lais gwichlyd.

Roeddwn i wedi gwylio'r dyn yma yng Nghwpan y Byd! A dyna lle roeddwn i, crwt o dŷ cyngor yng Nghasnewydd, yn dod wyneb yn wyneb ag e yn y cantîn ac roedd y cyfan braidd yn swrreal. Yn eironig ddigon, y sawl oedd gydag e oedd Peter Storey a doeddwn i ddim yn gwybod ar y pryd y byddai fy mywyd innau'n fwy tebygol o ddilyn yr un math o lwybr ag un Peter Storey. I'r rheiny ohonoch chi sydd ddim yn gyfarwydd â stori Peter Storey, trodd hwnnw hefyd yn alcoholig a threuliodd amser yn y carchar. Ond chwaraeodd e ryw bedwar cant o weithiau dros Arsenal. A fe ac Alan Ball oedd y ddau roeddwn i'n cael paned o de gyda nhw.

Ond 'nôl at y gêm ymarfer y prynhawn hwnnw. Ar yr un ochr â fi yn y gêm honno roedd ambell un a aeth yn eu blaen i fod yn enwau chwedlonol gydag Arsenal – Liam Brady, oedd ychydig yn hŷn na fi, David O'Leary a Frank Stapleton. Ond heb yn wybod i'r trefnwyr, roedd un o'r bechgyn yn y stafell newid wedi mynd 'nôl i Iwerddon am fod hiraeth arno fe, ac oherwydd hynny dim ond deg chwaraewr oedd gyda ni. Fi oedd yn gwisgo crys rhif 10!

Erbyn hyn, roedd Bertie Mee, y rheolwr, wedi dod i mewn i'r stafell newid i gael gair â ni a phan glywodd e ein bod ni un chwaraewr yn brin dywedodd e,

'Gadewch e gyda fi. Fe ga i rywun o'r tîm cynta i lenwi drosto fe.'

Felly, bant â fe i stafell newid y tîm cynta. A dyma enghraifft sut mae pêl-droed wedi newid dros y blynyddoedd achos fe berswadiodd e un o chwaraewyr y tîm cynta i chwarae mewn treial i fechgyn ysgol! A'r chwaraewr hwnnw oedd Charlie George. Ond y broblem oedd gyda fi oedd hyn: fi oedd yn gwisgo crys rhif 10 a Charlie George oedd rhif 10 y tîm cyntaf. A dyma fe'n gofyn i fi newid crysau ac yn y diwedd ces i wisgo rhif 4. Mae hynny'n efengyl! Felly, dyna lle roedden ni fechgyn ysgol fel O'Leary, Stapleton a fi'n chwarae wrth ochr Charlie George. Dychmygwch Alex Ferguson yn dweud wrth un o'i sêr,

'Rwy'n moyn iti fynd i chwarae mewn treial i fechgyn ysgol.'

Galla i ddychmygu'r ateb!

Felly, cafodd y gêm honno ei chwarae, a rhaid fy mod i wedi gwneud yn weddol achos o blith yr hanner cant o fechgyn ysgol oedd yno cafodd pedwar ohonon ni alwad i fynd i Highbury, lle roedd Stadiwm Arsenal yr adeg honno. Dwi'n cofio mynd i mewn i swyddfa Bertie Mee gyda'r tri arall, sef Liam Brady, Frank Stapleton a David O'Leary, a chlywed Bertie Mee yn dweud,

'Chwaraewyr fel chi'ch pedwar yw dyfodol Clwb Pêl-droed Arsenal.' (Mae'n amlwg ei fod e yn llygad ei le gyda'r tri arall.) 'A dwi eisie siarad â'ch rhieni.'

Aeth yn ei flaen i ddweud y bydden nhw'n cysylltu â'n rhieni a'u gwahodd i Highbury er mwyn siarad â nhw. Felly gallwch chi ddychmygu fy mam a 'nhad yn cael yr alwad gan Bertie Mee neu bwy bynnag. Doedd dim hyd yn oed ffôn gyda ni yn y tŷ. Fy nhad gafodd yr alwad pan oedd e yn y gwaith. Cafodd ei alw i swyddfa'r gwaith dur i glywed llais Bertie Mee o Arsenal ar ben arall y ffôn.

Ta beth, a thorri stori hir yn fyr, bu'n rhaid i'm rhieni fynd i
Lundain ar y dydd Gwener ac roeddwn i'n dod adre i Gasnewydd
ar y dydd Sul. Felly, fe gyrhaeddon nhw ar y dydd Gwener ar ôl
gwaith. Roedd fy nhad wedi newid ei shifft i weithio'r bore
hwnnw a chwpla am ddau o'r gloch, ac arhoson ni mewn gwesty
pum seren yn y West End. Allech chi ddim bod wedi dirnad hyn
o feddwl am fy nghefndir i: fy nhad yn weithiwr dur a'm mam yn
gweithio mewn blydi ffatri! A dyma lle roedden ni mewn gwesty
pum seren a thocynnau VIP i fynd i weld Cliff Richard yn y
London Palladium. Ac am y tro cynta erioed meddyliais i fi fy
hun fod fy mam a 'nhad yn eitha balch ohono' i. Roedden nhw
wedi gweld popeth yn barod yn y byd pêl-droed ond doedd fy
mrawd erioed wedi llwyddo i wneud hyn.

Felly, aethon ni i'r sioe ac yn y blaen ac roedd popeth yn wych.
Yna, dechreuodd fy mam achwyn a chonan am Lundain tra bod
fy nhad yn eitha athronyddol am y peth. Ond aethon ni i'r
swyddfa yn ôl y trefniant. Cofiwch nawr, roedd gan fy rhieni
chwech o blant ac roedden ni'n byw mewn tŷ cyngor heb glincen
yn ein pocedi, ac fel pawb arall y dyddiau hynny, bydden ni'n aml
yn gorfod ymguddio rhag y dyn casglu rhent. A dyma Arsenal yn
dechrau cynnig arian er mwyn cael fy llofnod ar ffurflen bechgyn
ysgol. Yn sydyn reit roedd Mam yn meddwl bod Llundain yn
wych! Iesu Grist, yn sydyn roedd y lle'n ffantastig! Ond fel arall
oedd fy nhad. Roedd e'n bendant o'r farn taw fy mhenderfyniad i
oedd e. Gyda llaw, dwi'n sôn nawr am symiau mawr o arian.
Byddai £900 yn ddigon i brynu tŷ yng Nghasnewydd y dyddiau
hynny, ac roedd Arsenal yn cynnig digon i brynu sawl tŷ. Ond
roedd Dad am i fi benderfynu, a phan wnes i hynny roedd e ar
sail nid yn unig fy nghariad at glwb Casnewydd ond hefyd ffactor
arall. Pan es i i swyddfa Bertie Mee yn Highbury y dydd Gwener
hwnnw, fe gwrddais i â bachgen o Gymru, Shane Walker oedd ei
enw, yn y stafell driniaeth. A'r peth a'm trawodd oedd pa mor

ddiflas a thrist oedd e. Wrth edrych 'nôl nawr, y rheswm dros ei ddiflastod oedd ei fod e wedi cael ei anafu ond i fi, bachgen 13 a hanner oed, roedd y boi 'ma'n ddiflas am ei fod e'n byw yn Llundain. Dyw e ddim yn gwybod hyd y dydd heddiw, a dwi wedi cwrdd â Shane Walker fwy nag unwaith ers hynny, taw ei agwedd e ar y pryd oedd wedi fy helpu i ddod i benderfyniad. Felly, pan ddes i benderfyniad ychydig fisoedd yn ddiweddarach meddyliais, 'Dwi ddim eisie bod yn ddiflas fel y bachgen 'na,' a phenderfynias fynd i Gasnewydd.

Dyna pryd y llwyddodd fy nhad i daro bargen â chlwb Casnewydd. Eglurodd e fy mod i wedi gwrthod cynnig Arsenal ac ychwanegodd taw eu lle nhw, felly, oedd gofalu am ei fab. Doedd fy nhad ddim eisiau'r arian ond fe wnaeth e'n siŵr mod i'n ei gael e. A dyna ni. Unwaith imi benderfynu arwyddo dros Gasnewydd, 'nôl â fi i batrwm bob dydd Gwener: gadael yr ysgol yn y prynhawn, dala bws i Beechwood Park, cerdded wedyn dros Bont Somerton i Glwb Pêl-droed Casnewydd a chasglu fy arian.

Yn y cyfamser, roedd y teulu wedi symud i fyw ryw dri chan llath o Barc Somerton. Roedd fy nhad wedi bod yn cynilo arian dros gyfnod o rai blynyddoedd heb yn wybod i fi a llwyddo i dalu £900 mewn arian parod am y tŷ. Ychydig fisoedd cyn hynny roedd Arsenal yn cynnig bron i ddeg gwaith cymaint â hynny i ni. Ond chwarae teg i fy nhad am fynnu taw fi oedd biau'r penderfyniad. Ar y llaw arall, tase fe wedi dweud fy mod i'n *gorfod* mynd i Arsenal dyna fyddwn i wedi'i wneud achos byddai mynd i Arsenal wedi golygu rhoi fy nheulu ar ben ffordd yn ariannol a fyddai dim rhaid iddyn nhw fod wedi poeni byth eto. A bod yn deg i'm rhieni, i'r ddau ohonyn nhw, roedden nhw'n ffans anferth o dîm pêl-droed Casnewydd. Nhw oedd clwb cefnogwyr Casnewydd cyn i glybiau o'r fath gael eu sefydlu. Nhw oedd y clwb answyddogol, a hynny oherwydd cysylltiad fy mrawd â'r lle. Pryd bynnag roedd gêm oddi cartre, y tu fas i'n tŷ ni ar

Somerton Road y byddai pob bws yn ymgasglu, weithiau mor gynnar â 7 o'r gloch y bore, i fynd â'r cefnogwyr i lefydd fel Darlington ac yn y blaen. Ac achos bod fy nhad yn yfwr trwm, roedd pawb ar y bysiau hynny'n gwybod na fydden nhw'n cyrraedd adre tan ar ôl i'r tafarnau gau. Ac unwaith y dechreuodd fy rhieni anghofio am ymdrechion Arsenal i'm denu yno roedden nhw'n fwy na bodlon imi ddilyn trywydd clwb Casnewydd. Felly, fe wnes i ganolbwyntio gant y cant ar fod yn bêl-droediwr gyda Chasnewydd wedyn. Dwi'n cofio rhai pobl yn dweud wrtha i fy mod i'n wallgo i wrthod cyfle i fynd i Arsenal a dewis Casnewydd yn lle hynny. Ac mae'n rhaid cofio bod Casnewydd bryd hynny'n gorfod gwneud cais i gael eu hailethol i Gynghrair Lloegr bob blwyddyn. Roedden nhw wastad ar waelod y gynghrair, yn safle 92, flwyddyn ar ôl blwyddyn bron, ond am ei bod hi'n gymharol hawdd cyrraedd y dre yn ddaearyddol edrychai'r Gynghrair yn fwy ffafriol arnyn nhw a bydden nhw wastad yn llwyddo i gadw eu lle. Felly, roedd dewis Casnewydd yn hytrach nag Arsenal yn benderfyniad mawr.

Tua dwy flynedd wedyn fe wnes i benderfyniad mawr arall. Roeddwn i'n arfer hyfforddi bob dydd Mawrth a dydd Iau gyda'r chwaraewyr rhan-amser. Roedd gan Gasnewydd ambell chwaraewr rhan-amser yn eu tîm cynta bryd hynny ac un o'r rheiny oedd Roddy Jones. Chwaraeodd Roddy ran go fawr yn fy ngyrfa'n nes ymlaen, ond mwy am hynny maes o law. Dim ond un peth oedd ar fy meddwl yr adeg honno, sef llwyddo i gyrraedd y tîm cynta. Roeddwn i'n gymharol ddisglair yn academaidd gan lwyddo i basio pob un o'm ffug brofion ar gyfer Lefel O ond, yn y dyddiau hynny, roedd 'na gyfnod o ryw chwech i ddeg wythnos rhwng gorffen y ffug brofion a sefyll yr arholiadau go iawn ac, yn ystod y cyfnod hwnnw, gadewais i'r ysgol. Roedd hi'n bosib gwneud hynny yr adeg honno. Ac fe adewais i heb sôn gair wrth fy rhieni, dim gair. Doedd hi ddim fel heddiw pan fydd rhieni'n mynd drwy bob un o'r opsiynau gyda'u plant. Fy mhenderfyniad i oedd e ac fe adewais i'r ysgol heb unrhyw gymwysterau. O edrych 'nôl, roedd hyn yn beth hollol wirion i'w wneud a tase unrhyw un o 'mhlant i yn dod ata i a chynnig gwneud rhywbeth tebyg byddwn i'n eu cadw nhw'n gorfforol yn yr ysgol hyd nes iddyn nhw sefyll eu harholiadau! Ond roeddwn i'n lwcus. Ar ôl gadael yr ysgol llwyddais i ddilyn gyrfa dda fel pêl-droediwr am yr ugain mlynedd nesa. Tase pethau wedi mynd y ffordd arall fyddai dim byd gyda fi.

Felly, byddwn i'n mynd bob dydd Mawrth a dydd Iau i hyfforddi a byddwn i'n casglu fy £5 bob dydd Gwener. Ac roeddwn i'n byw a bod er mwyn pêl-droed. Fy arwyr o hyd oedd Billy Bremner ac Alan Ball. Doeddwn i ddim yn gwybod ar y pryd ond byddai Billy Bremner yn chwarae rhan yn fy mywyd yn nes ymlaen pan gynigiodd e job i fi yn Leeds. Ac roedd gyda fi ffocws. Am nad oedd gyda fi gyflymder (roeddwn i wedi digwydd clywed sgowt gyda Manchester United yn dweud hynny wrth siarad amdana i unwaith gan ychwanegu na fyddai Aizlewood yn mynd yn bell oherwydd hyn) roeddwn i'n benderfynol o wneud yn iawn am unrhyw ddiffygion a gwendidau oedd gyda fi. Ches i ddim rhaglen hyfforddi gan neb, ond rhywsut es i ati ar fy mhen fy hun i wella technegau fy chwarae. Roeddwn i'n gorfod gwella fy rheolaeth, y ffordd roeddwn i'n pasio; roeddwn i'n gorfod sicrhau bod fy nhechneg mor berffaith â phosib. Hefyd fe ddes i'n ddisgybl brwd. Byddwn i'n gwylio chwaraewyr yn astud. Wrth wylio gêm bêl-droed byddwn i'n ei hastudio'n bwrpasol. A dwi'n dweud hynny wrth chwaraewyr ifanc heddiw – i wylio am reswm penodol. Dwi'n cofio pan oeddwn i'n fachgen 14 neu 15 mlwydd oed byddwn i'n gwylio gêmau ac weithiau fyddwn i ddim hyd yn oed yn gwybod y sgôr ar y diwedd am fod gyda fi fwy o ddiddordeb yn y tactegau, yn y ffordd roedd chwaraewyr yn symud, yn yr hyn wnaethon nhw a sut y gwnaethon nhw hynny. A byddwn i'n ceisio'u hefelychu. Byddwn i'n ceisio dynwared y gwahanol fathau o basio, ar y tu fas i'r droed, ar y tu fewn i'r droed ac yn y blaen.

Fe wnes i'r cyfan ym maes parcio'r dafarn gyferbyn â lle roedden ni'n byw. Maes parcio'r King. Roeddwn i'n arfer peintio targedau bach ar y wal yn un pen i'r maes parcio, a oedd ryw drigain llath o ran hyd, a chlymu darn bach o gortyn ar y ffens yn y pen arall a byddwn i'n mynd un ffordd cyn troi a dod 'nôl y ffordd arall. A byddwn i'n gosod targedau i fi fy hun. Roeddwn i'n gorfod bwrw'r targed chwe gwaith yn olynol cyn cael mynd i mewn i'r tŷ. Ambell waith byddai pobl yn mynd adre o'r dafarn a byddwn i'n dal i drio bwrw'r targed chwe gwaith. Drwy lwc roedd gan y maes parcio lifoleuadau! Ac roedd fy rhieni'n gwybod yn union lle roeddwn i – yn y maes parcio dros y ffordd. Oherwydd y sesiynau hyn, dwi'n credu mod i wedi dod i basio'r bêl yn eitha da a bod gyda fi dechneg eitha da, ond pobl eraill ddylai farnu ar hynny mae'n debyg.

Pan ddaeth Jimmy Scoular i glwb Casnewydd roeddwn i'n dal yn yr ysgol ond roedd e eisiau i fi chwarae dros y tîm cynta, a'r gêm dan sylw oedd un yn erbyn Darlington oddi cartre. Roedd y tîm yn teithio ar brynhawn dydd Gwener ar y trên. A'r rheswm pam roedden nhw'n mynd ar y trên oedd hyn: doedd dim clincen yng nghoffrau'r clwb, dim dimai goch. Yn y dyddiau hynny, roedd cwmni Persil yn arfer rhoi tocynnau trên i unrhyw un fyddai'n prynu eu powdwr golchi. Wir ichi. Ac am fod rhaglen y tymor yn hysbys i bawb chwe mis ymlaen llaw, roedd pob aelod o'r garfan, gan gynnwys fi, yn gorfod gwneud yn siŵr bod eu gwragedd neu eu teuluoedd ac yn y blaen yn prynu Persil! Doedd y clwb ddim yn gallu fforddio talu am docynnau trên hyd yn oed. Y tro yma, roedd gyda ni un deg saith o docynnau am ddim, diolch i Persil, ond roedd angen teithio ar un deg wyth ohonom. Roedd Jimmy Scoular wedi fy newis i chwarae a bu'n rhaid imi fynd i weld fy mhrifathro a gofyn iddo a gawn i adael yr ysgol yn gynnar ar y prynhawn Gwener er mwyn teithio gyda gweddill y tîm. Gwrthod yn lân wnaeth hwnnw. (Digwyddodd hyn oll ar y dydd Mercher cynt.) Fe dorrais i 'nghalon a dwi'n cofio llefain y glaw. Dywedodd fy nhad, oedd yn foi go galed,

'Gad e 'da fi.'

Y cyfan dwi'n ei wybod hyd y dydd heddiw yw bod fy nhad wedi mynd draw i'r ysgol ar y dydd Iau i weld y prifathro a'r eiliad nesa roeddwn i'n cael mynd o'r ysgol yn gynnar ar y prynhawn Gwener.

Felly dyma fi'n sefyll ar y platfform yng ngorsaf Casnewydd a doeddwn i ddim eisiau bod yn unman arall yn y byd. Dyma oedd fy nghyfle mawr! A dywedodd Jimmy Scoular wrtha i,

'Gwranda, mae gyda ni dipyn bach o broblem. Dim ond un deg saith o docynne sy gyda ni. Felly dyma beth fydd raid iti wneud. Bydd rhaid i ti gerdded 'nôl a mlaen ar hyd y trên nes inni gyrraedd pen y daith.'

A dyna wnes i: bu'n rhaid imi gerdded drwy gydol y daith a gwncud fy ngorau i osgoi'r gard. Cerdded, cofiwch, am tua phedair awr a hanner ar brynhawn dydd Gwener a newid . . . yn Crewe dwi'n credu! Ac ar y dydd Sadwrn fe chwaraeon ni'r gêm. A'r adeg honno roedd Darlington yn fwy o dwll na Pharc Somerton. Mae'n wahanol erbyn hyn achos mae gyda nhw stadiwm newydd. A dyna fi, yn fachgen 15 mlwydd oed, yn chwarae ganol y cae yn erbyn dyn o'r enw Catweazle. Dyna'i lysenw. Ac fe boeredd e arna i, fe giciodd e fi a'm pwnio ac roeddwn i'n anobeithiol. Roeddwn i wedi blino'n lân. Cofiwch, roedd hwn yn gam mawr ymlaen o bêl-droed rhwng bechgyn ysgol. Hon oedd fy ngêm broffesiynol gynta. A dwi'n cofio Jimmy Scoular yn pwyntio ata i yn y stafell newid a dweud,

'Beth ddiawl sy arnat ti? Wedi blino wir, bachgen ifanc fel ti!'

A dwi'n gallu cofio meddwl,

'Ie, ond fe wnes i ffycin cerdded 'ma. Bob cam o'r ffordd ar y trên!' Ond penderfynais i mai taw piau hi.

Yna, y dydd Mawrth canlynol, roedd gyda ni gêm arall oddi cartre, yn erbyn Rochdale. Allech chi ddim bod wedi dewis dau le gwaeth i chwarae pêl-droed ac ar y bore dydd Mercher pan es i 'nôl i'r ysgol, mae'n rhaid imi gyfaddef, dyma fi'n meddwl,

'Dyw'r busnes pêl-droed 'ma ddim mor glam â hynny, nag yw e. Falle mod i wedi gwneud y penderfyniad rong fan hyn.'

Ar ôl hynny, wnes i ddim chwarae wedyn i'r tîm cynta am ryw chwe mis. Yna, gadawodd Jimmy Scoular a daeth Colin Addison yn ei le, a fe oedd un o'r dynion mwya brwdfrydig fuodd erioed. Fe lenwodd e bawb â brwdfrydedd gan gynnwys fi. Hyd at hynny roeddwn i wedi dechrau pylu ryw ychydig, ond roedd Colin Addison fel chwa o awyr iach. Keith Saunders oedd ysgrifennydd y clwb o hyd a fe oedd y dyn oedd yn arfer rhoi'r £5 o gyflog i fi bob dydd Gwener. Ar y dechrau, byddwn i'n cael papur £5 yn fy llaw. Yna trodd yn arian mân: £5 mewn darnau deg ceiniog. Erbyn y diwedd bydden nhw'n ymbalfalu a chribinio am unrhyw beth oedd wrth law. Ta beth, roedden ni'n chwarae oddi cartre yn erbyn Northampton a dewisodd Colin Addison fi'n eilydd ar gyfer y tîm cynta. Roedd yr ysgrifennydd yn arfer cadw rhestr a byddai fe'n troi at y rhestr yma cyn ffonio rhyw westy neu fwyty i gadw byrddau i'r tîm fel eu bod nhw'n bwyta pryd da cyn unrhyw gêm. Ond fyddai fe byth yn talu'r bil! Wir ichi! Felly roeddech chi'n ffaelu mynd 'nôl i'r un gwesty y flwyddyn ganlynol. Aeth hyn yn ei flaen am flynyddoedd. Dyna sut cadwodd e'r clwb i fynd. Felly, bant â ni i Northampton a chyrhaeddon ni Warwick lle roedden ni i fod i stopio am bryd o fwyd. Aeth gyrrwr y bws rownd a rownd am hydoedd yn chwilio am y Warwick Castle Hotel gan godi gwrychyn y chwaraewyr ar yr un pryd. Nawr heb yn wybod i ni roedd e, Keith Saunders, wedi trio pob gwesty arall yn yr ardal ond wrth gwrs roedd ar y clwb arian iddyn nhw, a'r unig un oedd yn fodlon ein derbyn oedd y Warwick Castle Hotel. Felly, pan sylweddolon ni nad oedd y fath le'n bodoli doedd dim amdani ond mynd i Gastell Warwick, ie, i'r castell ei hun! Ac roedd neuadd wledda yno a chawson ni ein pryd o fwyd cyn y gêm yng Nghastell Warwick yng nghwmni'r holl dwristiaid 'ma o Japan, a nhwythau'n tynnu ein lluniau! Wir i Dduw!

Felly, dyma ni'n cael ein pryd bwyd cyn anelu am Northampton a'r gêm fawr. Cofiwch taw eilydd oeddwn i. A'r dyn y bues i'n hyfforddi gydag e am bedair blynedd, er pan oeddwn i'n 12 oed, oedd Roddy Jones. Bydda i'n dal i weld Roddy a hyd yn oed pan dwi'n cwrdd ag e nawr dwi wastad yn diolch iddo. Roedd e'n chwarae yn safle'r canolwr a thair munud ar hugain wedi dechrau'r gêm tynnodd e linyn ei ar, a throdd Colin Addison ata i a chyhoeddi,

'Rwyt ti'n chwarae!'

A dyna wnes i, a chwaraeais i'r tri deg chwe gêm nesa dros Gasnewydd cyn cael fy nhrosglwyddo i Luton am £50,000.

Luton 1978

SYMUDAIS I LUTON yn 1978. Y rheolwr yno ar y pryd oedd David Pleat. Hon oedd ei swydd gynta erioed fel rheolwr llawn a fi oedd y chwaraewr cynta erioed iddo'i arwyddo. Ac roeddwn i mor lwcus achos roedd David Pleat yn foi gwych. Roedd e'n dactegydd ardderchog ac yn hyfforddwr campus. Mae'n wir iddo gael ambell broblem yn nes ymlaen yn ei yrfa ond drwy gydol y cyfan mae pobl wastad wedi parchu ei allu pêl-droed. Felly, a minnau'n 18 mlwydd oed, dechreuais i yn Kenilworth Road.

Beth amser cyn i hyn oll ddigwydd, collais i 'nhad. Buodd e farw'n 47 mlwydd oed, ychydig cyn i fi arwyddo ffurflenni prentisiaeth i glwb Casnewydd. Cafodd e strôc diolch i'r alcohol a'i ffordd o fyw. Felly, dwi'n credu oni bai i Luton ddod ar fy ôl i, wedi tri deg a mwy o gêmau, mae'n ddigon posib taw yng Nghasnewydd y byddwn i wedi aros. Chi'n gweld, ar ôl i 'nhad farw, fi oedd yn ennill yr arian yn y teulu ac roeddwn i'n byw gartre gyda Mam a'm chwiorydd. Roedd cymaint yn dibynnu arna i. Doedd fy mrawd erioed wedi byw gyda ni. Roedd e wastad wedi byw gyda fy mam-gu a nhad-cu.

Ond fe ddaeth Luton i chwilio amdana i ac, wrth edrych 'nôl, dyna wnaeth ddyn ohono' i. Dychmygwch y sefyllfa. Rydych chi'n byw oddi cartre, yn bell oddi wrth eich teulu a phopeth cyfarwydd. Dan y fath amgylchiadau dyna pryd mae'r pêl-droed yn troi'n hollbwysig ac yn troi'n ganolbwynt i'ch bywyd. Y rheswm pam rydych chi wedi gadael cartre yn y lle cynta yw pêl-droed. Os ydych chi yn y tîm cynta mae popeth yn iawn, ond os nad ydych chi yn y tîm cynta ac rydych chi'n byw oddi cartre, mae'n uffern ar y ddaear. Eto i gyd, dwi wastad wedi cynghori chwaraewyr ifanc i fynd oddi cartre'n gynnar er mwyn canolbwyntio'n llwyr ar y pêl-droed. Mae gyda chi chwaraewyr ifanc o Gaerdydd, er enghraifft, sy wedi arwyddo dros Gaerdydd ac mae'n anodd iawn iawn arnyn nhw gadw'r ffocws. Os edrychwch chi ar y bechgyn lleol sy'n gwneud hynny – mae Joe Ledley yn un ac mae popeth yn iawn yn ei achos e – nid pawb sy'n cyflawni eu potensial.

Beth bynnag, dyma fi yn Luton, yn bêl-droediwr go iawn ac yn byw mewn llety.

'Dwi wedi dy roi ti mewn llety gyda bachgen hyfryd. Fe ddoi di mlaen yn dda iawn 'da fe,' meddai David Pleat wrtha i.

A bant â fi i'r llety, ac mae'n rhaid i fi siarad yn onest, fe ges i sioc fy mywyd. Yno'n eistedd o 'mlaen i oedd y person mwya du roeddwn i erioed wedi'i weld, a'i enw oedd Ricky Hill. Roedd e'n chwaraewr da iawn ac aeth yn ei flaen i chwarae dros Loegr, ond, a minnau'n dod o'm cefndir yng Nghasnewydd, roedd e'n destun sioc fawr i fi a doeddwn i ddim yn gwybod beth i'w wneud. Doeddwn i ddim yn gwybod sut i ymateb i'r person du yma oedd ar fin rhannu llety gyda fi. Yng Nghasnewydd yr adeg honno doedd dim mwy na rhyw ddau neu dri disgybl croenddu yn yr ysgol gyfan lle bues i, sef Ysgol Hartridge. Dwi ddim yn hiliol mewn unrhyw ffordd ond ces i blydi sioc. Ta beth, daeth Ricky'n ffrind da iawn iawn a byddai fe a fi a bachgen arall o'r enw Brian Stein yn mynd i bobman gyda'n gilydd.

Roedd David Pleat wedi arwyddo wyth chwaraewr newydd a chawson ni ddechrau gwych. Enillon ni'r gêm gynta ond siomedig oedd y tymor ar y cyfan. Doedd dim dewis gyda ni ond ennill y gêm ola gartre, yn erbyn Cambridge United dwi'n credu, er mwyn aros lan. Fe wnaethon ni hynny a'u curo nhw'n rhacs, ac yna'r flwyddyn ganlynol enillon ni'r Bencampwriaeth. Ond yn ystod y flwyddyn gynta honno digwyddodd rhywbeth arall i fi. Dilynais i drywydd diwylliant Ricky Hill a Brian Stein ac roedd hwnnw'n wahanol i'r hyn roeddwn i'n gyfarwydd ag e yng Nghasnewydd. Bydden nhw'n treulio tipyn go lew o amser yn betio yn siop y bwci a ches i fy sugno i mewn i hynny. Am ddeuddeg mis dyma oedd y patrwm: hyfforddi, cawod, cerdded i waelod Kenilworth Road ac i mewn â ni i siop William Hill. Bydden ni'n betio ar bob ras, pob un. Wedyn, ar ôl gadael fan'na, 'nôl â ni i'r llety i gael te. Oddi yno, ymlaen wedyn i Bletchley i fetio ar y cŵn ac o fan'na, os oedd unrhyw arian ar ôl gyda ni, ymlaen i'r Grosvenor Casino yn Luton a dal ati i fetio. Wedyn adre, cysgu, codi, hyfforddi. Ar y pryd roeddwn i'n ennill rhwng £300 a £400 yr wythnos, ac roedd hynny'n arian teidi. A dyna oedd ein bywyd. Dyna wnaen ni. Byddech chi'n ffaelu gwneud hynny nawr achos mae'r rhan fwya o chwaraewyr heddiw'n hyfforddi bob prynhawn ac mae pobl yn gofalu amdanyn nhw'n well. Gyda ni, unwaith roedd yr hyfforddi drosodd amser cinio roedd cyfrifoldeb y clwb dros y chwaraewyr drosodd hefyd.

Dyna ddechrau'r hyn oedd o bosib yn datblygu'n rhyw fath o bersonoliaeth gaethiwus, ddibynnol o'm rhan i – gamblo, ac yn nes ymlaen, yfed. Wn i ddim. Pwy a ŵyr pryd y dechreuodd? Ond hyd nes imi gael fy nhrosglwyddo i Luton Town yn 18 oed doeddwn i erioed wedi cyffwrdd â'r un diferyn o alcohol. Roedd fy nhad a'm brawd ill dau yn yfwyr trwm, ond doeddwn i erioed wedi yfed diferyn. Ond o dipyn i beth, yn ogystal â'r gamblo, daeth alcohol yn rhan o 'mywyd. Byddech chi'n mynd mas i gymdeithasu gyda'r bois a byddech chi'n cael diod. Wedi'r cwbl, roeddwn i'n llanc ifanc yn byw oddi cartre, roedd arian yn fy mhoced ac roedd gyda fi ffrindiau da.

Roedd fy magwraeth yng Nghasnewydd wedi bod yn un ddigon hapus. Dwi ddim yn credu y gallwn i ddweud imi erioed fod yn agos at fy mam na nhad, ond mae'r un peth yn wir am fy mrawd a'm chwiorydd hefyd. Doedden nhw ddim yn agos atyn nhw chwaith. Welais i erioed arwyddion cariadus, amlwg, agored gan neb o'r teulu fel y cyfryw. I raddau helaeth roedd pobl yn gadael llonydd i chi ac roedd disgwyl ichi fwrw iddi ar eich pen eich hun, ond dyna'r norm bryd hynny. Yn aml, fi oedd yn gorfod gofalu amdana i fy hun. Dwi ddim yn dweud bod hynny'n beth drwg achos fe elwais i o hynny'n nes ymlaen ac fe ddes i'n annibynnol. Ond pan own i'n blentyn, os oeddwn i eisiau dillad glân, fi oedd yn gorfod eu golchi nhw a'u smwddio. Anaml iawn y byddwn i'n gweld fy nhad a hyd yn oed pan fyddwn i'n ei weld e byddai fe'n aml yn feddw. Ac roedd fy mam wastad yn gweithio. Dwi ddim yn gallu cofio cael cwtsh na chusan gan y naill na'r llall erioed, ond dwi ddim yn credu bod hynny'n rhywbeth oedd yn perthyn iddyn nhw'n arbennig. Roedd e'n perthyn i'r genhedlaeth honno'n gyffredinol. Doeddwn i ddim yn teimlo'n wahanol i neb arall a wnaeth e ddim drwg mawr i fi. Roedd gyda fi bêl-droed ac ar y stad o dai cyngor lle roedden ni'n byw roedd 'na fannau eang, gwyrdd lle gallwn i chwarae gyda'm ffrindiau. Mae gyda fi atgofion hapus iawn. Eto, roeddwn i'n teimlo mod i wastad yn trio profi rhywbeth drwy gydol fy mywyd. Roedd fy mrawd wedi profi llwyddiant mawr o 'mlaen i fel pêl-droediwr proffesiynol, felly mae'n ddigon posib bod 'na ansicrwydd y tu mewn i fi, rhyw awydd i blesio, rhyw angen i gael fy nerbyn. Pan glywais i'r boi 'na o Manchester United yn dweud pan oeddwn i'n grwt na fyddwn i byth yn llwyddo fel chwaraewr am nad oeddwn i'n ddigon cyflym, roeddwn i'n gorfod ei wrthbrofi trwy ymarfer ac ymarfer. Roeddwn i'n gorfod bod y gorau gyda phopeth wnawn i a phan ddechreuais i yfed roeddwn i eisiau bod yr yfwr gorau hefyd.

Ces i ryw dair neu bedair blynedd llwyddiannus yn Luton Town o safbwynt y chwarae, ond eto wnes i ddim llwyddo i gael unrhyw gydnabyddiaeth ryngwladol. Fel dwi eisoes wedi'i ddweud, roedd David Pleat yn ddylanwad gwych ac mae rhai o'r pethau wnaeth e yn ystod y sesiynau hyfforddi 'nôl yn y dyddiau hynny wedi aros gyda fi o hyd, a bydda i'n dal i ddefnyddio'i dactegau gyda'r timoedd y bydda i'n eu hyfforddi heddiw. Roedd e ymhell o flaen ei amser. Byddai fe'n rhoi bechgyn troed dde i chwarae ar yr asgell chwith ac fel arall, a byddai fe'n rhoi cefnwyr troed dde ar y chwith a threfnu'r math o symud roedd ei angen gan chwaraewyr o gwmpas hynny. Roedd yn beth arloesol 'nôl yn 1978 ac yn torri tir newydd. Dyna'r norm bellach.

Yr hyn oedd yn ddiddorol ac yn ddifyr o'm safbwynt i, wrth gwrs, oedd mai chwaraewr troed dde oeddwn i tan imi gyrraedd chwech neu saith mlwydd oed. Hyd yn oed yn blentyn bach byddwn i wastad yn cicio pêl ar hyd y lle. Un diwrnod roeddwn i'n chwarae pêl-droed i mewn yn y tŷ cyngor lle roedden ni'n byw, ac wrth i fi fynd am y bêl fe giciais i gefn y gadair ar ddamwain. Wel, wnes i ddim llwyddo i gyrraedd y bêl ac yn lle hynny torrais i 'nghoes – y 'tib a'r ffib'. O ganlyniad i hynny treuliais i'r wyth mis nesa â 'nghoes dde mewn plaster llawn. Ond y funud tynnon nhw hwnnw a rhoi plaster llai ar fy nghoes fel mod i'n gallu cerdded eto dechreuais i gicio pêl unwaith yn rhagor, ond y tro hwn gan ddefnyddio 'nhroed chwith! Drwy gydol fy ngyrfa roedd bod yn chwaraewr troed chwith yn fantais fawr i fi ond hap a damwain oedd y cyfan. Lwc pur. Tynged efallai. Achos os ystyriwch chi fy mod i'n araf hefyd, mae'n ddigon posib na fyddwn i wedi cael y cyfleoedd ges i taswn i wedi bod yn chwaraewr troed dde ar ben hynny. Pan dynnwyd y plaster, a minnau'n saith mlwydd oed, roeddwn i wedi dod i ddefnyddio 'nhroed chwith yn naturiol. Ac mae chwaraewyr troed chwith yn gallu cael eu dewis ar gyfer gêmau er mwyn sicrhau cydbwysedd mewn tîm. Roedd hynny wedyn yn fantais ar hyd fy ngyrfa ar y cae.

Ta beth, wedyn, wrth i'r clwb symud yn ei flaen cafodd ambell chwaraewr arall ei arwyddo ac yn sydyn reit doeddwn i ddim yn cael chwarae gymaint. Collais fy lle yn y tîm oherwydd anaf a chafodd boi o'r enw Mal Donaghy o Larne yng ngogledd Iwerddon ei arwyddo. Aeth hwnnw yn ei flaen ymhen amser i chwarae dros Manchester United ac yng ngêmau terfynol Cwpan y Byd yn 1982 a 1986. A phan ddaeth e i mewn i'r tîm, tra oeddwn i'n gwella ar ôl cael fy anafu, ces i drafferth adennill fy lle achos, yn amlwg, roedd y bachgen 'ma'n blydi dda. Felly, roeddwn i mas am oddeutu deuddeg gêm a phenderfynais taw'r peth gorau y gallwn i ei wneud fyddai gadael Luton.

Charlton 1982

YMUNAIS I Â CHARLTON pan oeddwn i'n 22 mlwydd oed, ond wnes i ddim symud i fyw i Charlton yn syth. Arhosais i yn Luton. Roedd hyn yn y dyddiau cyn dyfodiad yr M25 ac roedd hi'n dipyn o hen daith bob dydd mae'n rhaid cyfaddef, ond roeddwn i'n hyderus y gallwn i ddod i ben â hi. Felly byddwn i'n gadael am 7 o'r gloch bob bore a byddwn i'n tynnu i mewn i faes parcio Charlton am 10 o'r gloch ar ei ben. Ac yn ystod fy mlwyddyn gynta gyda nhw aeth hi'n eitha brwydr o safbwynt fy ffitrwydd a'm cyflwr corfforol. Roedd y teithio'n lladdfa. Teirawr yno, hyfforddi a theirawr nôl. Mae'n debyg taw hwn oedd y clwb pêl-droed lle dechreuais i yfed go iawn. Roedd 'na ddiwylliant yfed yno ymhlith rhai o'r chwaraewyr. A dwi'n gwybod bod hyn yn mynd i swnio'n ofnadwy a dwi ddim yn falch o'r hyn wnes i, ond ar ôl gêmau fe yrrais i 'nôl i Luton wn i ddim faint o weithiau ag alcohol yn fy ngwaed. Teirawr o daith. Mae'n frawychus. A sylweddolais i y gallwn i golli popeth roeddwn i wedi dyheu amdano ers yn fachgen os nad oeddwn i'n ofalus, achos allwn i ddim ymdopi â'r teithio ac ochr gorfforol y chwarae hefyd. Roedd y ddau'n mynd benben â'i gilydd. Roedd Charlton yn glwb teidi a doedd fy mhatrwm byw i ddim yn deg â nhw, ond fe ddigwyddodd rhywbeth arall yn ogystal.

Ken Craggs oedd y rheolwr a gynigiodd y cytundeb i fi ond fe gafodd e'r sac ar ôl ychydig fisoedd a daeth dyn o'r enw Lennie Lawrence yn ei le. Newidiodd y drefn a newidiodd yr hyfforddi.

Trodd yn drymach ar y corff a bu'n rhaid i fi ddod i benderfyniad. Dwi'n credu taw Lennie a ddywedodd wrtha i,

'Mae'n rhaid iti symud i fyw fan hyn achos elli di byth â chario mlaen i wneud beth rwyt ti'n ei wneud ar hyn o bryd.'

Mae'n hawdd y dyddiau hyn – siwrnai o ryw bymtheg munud yw hi – ond yr adeg honno, cyn yr M25, roedd dyn yn gorfod mynd trwy ganol Llundain ac roedd hynny'n hunllef. Felly, symudais i Charlton a'r tair neu bedair blynedd nesa, faint bynnag o amser yn union y bûm i gyda'r clwb, oedd y cyfnod mwya sefydlog a'r un hapusa brofais i erioed yn ystod fy ngyrfa bêl-droed, siŵr o fod. Tra oeddwn i gyda Charlton y ces i 'nghap rhyngwladol cynta – Sawdia Arabia oddi cartre, o bobman yn y byd! Os ydw i'n onest, dwi'n credu taw'r unig reswm y ces i hwnnw oedd achos doedd neb arall eisiau mynd yno. Mae'n rhaid bod Mike England, a oedd wrth y llyw ar y pryd, wedi chwilio trwy'r cynghreiriau am chwaraewyr o Gymru oedd yn barod i deithio i Sawdi Arabia!

Pan glywes i mod i wedi cael fy newis roedd llond twll o ofn arna i. Ychydig wythnosau cyn hynny roeddwn i wedi gwylio bois fel Ian Rush yn ennill Cwpan Ewrop! A nawr roeddwn i'n mynd i ymuno â nhw. Ta beth, fe gyrhaeddais i'r gwesty yn Llangollen lle roedd y garfan yn cwrdd a doeddwn i ddim yn nabod neb cyn mynd. Ar y pryd chwarae yn yr ail adran oeddwn i tra oedd bron pawb arall yn chwarae yn yr adran gynta. Doeddwn i ddim wedi bod yn chwarae yn erbyn y rhain o wythnos i wythnos ac roeddwn i'n poeni y byddwn i'n cerdded i mewn trwy'r drws ac y byddai pobl yn gofyn, 'Pwy ddiawl wyt ti?' Ond nid dyna ddigwyddodd o gwbl. Wrth i fi gerdded i mewn trwy'r drws â'm bag yn fy llaw, y person cynta welais i yn y dderbynfa oedd Ian Rush. A dechreuais i feddwl, 'Fydd hwn ddim yn gwbod pwy ydw i,' ond dyma fe'n cerdded tuag ata i a wna i fyth anghofio'i eiriau.

'Croesi i'r garfan, Aize. R'yn ni angen rhywun fel ti.'

A dyna ddechrau cyfeillgarwch mawr. A phan holais i Rushie am hyn flynyddoedd yn ddiweddarach, dywedodd e taw bwriadol oedd y cyfan; roedd e wedi bod yn aros amdana i. Ac fe welais i fe'n gwneud yr un peth bob blwyddyn, cyn pob gêm, gyda chwaraewyr eraill oedd yn newydd i'r garfan. Doedd ganddo fe ddim syniad faint roedd hynny'n ei olygu i fi. Roedd e'n beth gwych i'w wneud.

Doedd neb tebyg i Mike England am reoli dynion, ond yr unig ddau roedd ganddo fe ddiddordeb i'w rheoli go iawn oedd Ian Rush a Mark Hughes. Ar yr ochr roedd y gweddill ohonon ni. Roedd hi'n jôc fawr ymhlith y bechgyn. Dwi'n cofio eistedd ar y fainc yn Wrecsam fisoedd yn ddiweddarach. Roedden ni'n chwarae yn erbyn rhyw wlad yn Ne America – sa' i'n gallu cofio pa dîm nawr – ac roedd Rushie wedi bod ar y pop am ryw dridiau cyn hynny. Dyna lle roeddwn i'n eistedd wrth ochr Mike England a Malcolm Allen ifanc. Nawr, roedd Mike England yn methu'n deg â gweld dim byd o'i le ar Rushie na Sparky, ac ar yr achlysur arbennig yma roedd y bêl wedi mynd dros ben yr amddiffynwyr ac aeth Rushie ar ei hôl a'i chicio 'nôl tuag at y llinell ganol. Pan gyrhaeddodd Ian y llinell ganol roedd e'n fyr ei wynt ac yn dyhyfod fel ci. A dyma Mike England yn troi i'm hwynebu,

'Ti'n meddwl bod Ian wedi blino on'd wyt ti? Ond dyw e ddim. Mae e fel panther yn disgwyl er mwyn neidio ar ei brae,' meddai.

'*Piss off*, Mike. Mae o'n nacyrd!' atebodd Malcolm Allen fel mellten.

Chwerthin! Ond mae'r stori honno'n crynhoi beth roedd Mike England yn ei feddwl o Ian Rush a Mark Hughes. Roedden nhw'n ffaelu gwneud dim byd o'i le. Ond o ddifri, roedd cyfnod Mike England yn dda ac fe wnes i wir ei fwynhau. Hwn hefyd oedd fy mlas cynta ar bêl-droed rhyngwladol.

Roedd fy nghyfnod gyda Charlton yn benigamp o ran y pêl-droed. Symudais i fyw ryw 500 llath o'r maes hyfforddi, wrth ymyl Bromley. O edrych 'nôl nawr, mae'n debyg bod Charlton wedi cael fy mlynyddoedd gorau fel pêl-droediwr, y rhai mwya cynhyrchiol a'r mwya effeithiol. Roedd y ffans yn fy nghasáu yn ystod y flwyddyn gynta ond ar ôl hynny fe'm dewiswyd yn chwaraewr y flwyddyn fwy nag unwaith. Yn gymdeithasol fodd bynnag, roedd yr arwyddion a'r goleuadau coch eisoes yn dechrau fflachio 'Pwyll!'

Charlton oedd dechrau'r hyn a dyfodd yn arfer cyson o yfed o'm rhan i, ac ymhlith y criw fyddai'n yfed gyda fi roedd 'na ambell un sydd bellach yn enwau mawr yn y Cynghrair. Ond er gwaetha'r yfed, roedden ni'n dda ar y maes hyfforddi. Yn rhyfedd ddigon, roeddwn i'n llwyddo i gadw'r ddau beth i fynd heb lawer iawn o ymdrech. Ymhob sesiwn hyfforddi fe wnes i'n siŵr fy mod i'n rhoi popeth oedd gen i. Roedd pob sesiwn hyfforddi fel ffeinal Cwpan y Byd i fi. Doeddwn i byth yn feddw yn ystod yr hyfforddi. Roeddwn i'n un o'r bobl hynny oedd yn gallu yfed, ac ar yr amod fy mod i'n cael awr o gwsg, gallwn i godi a byddwn i'n hollol iawn. Eto, bydda i'n gofyn i fi fy hun yn aml erbyn hyn a oeddwn i'n rhoi cant y cant *go iawn* ynteu a oeddwn i'n gweithredu rywle o gwmpas saith deg pump y cant. Wn i ddim, achos fel dwi newydd ei ddweud, roeddwn i'n llwyddo i ddod i ben â phopeth. A fyddai hi wedi bod yn wahanol taswn i wedi rhoi cant y cant go iawn? Beth fyddai wedi digwydd? Mae'n ddigon posib na fyddai dim yn wahanol, ond mae un peth yn sicr, roeddwn i'n llwyddiannus iawn fel pêl-droediwr yn y cyfnod hwnnw ac roedd digon o alw amdana i oherwydd fy sgiliau ar y maes chwarae.

Roedd pethau wedi bod yn reit ansicr i'r clwb ers tro ond tua'r adeg yma y daeth eu problemau ariannol i'r brig ac aeth Charlton i ddwylo'r gweinyddwyr. Doedd gyda nhw ddim dewis ond gadael y Valley. Rhyw awr, dwi'n credu, oedd gyda ni i symud pethau oddi yno cyn bod bois yr arian yn cyrraedd. Dwi'n cofio Lennie Lawrence yn galw'r bechgyn i'w swyddfa ac yn rhoi rhybudd i ni ein bod ni'n gorfod mynd ar frys i'r maes er mwyn casglu ein sgidiau pêl-droed a'n cit ac yn y blaen neu bydden ni'n colli popeth. Nawr, yr adeg honno roedden ni'n arfer rhedeg ein bar ein hunain yn Charlton, bar y chwaraewyr, a byddai unrhyw elw'n mynd tuag at dalu am ryw daith i rywle ar ddiwedd y tymor. Felly, tra oedd pob un o'r chwaraewyr eraill yn rhuthro i'r Valley i hôl eu sgidiau a'u cit, mynd i achub yr holl ddiod yn y bar wnaeth Derek Hales a fi; o edrych yn ôl, mae'n amlwg ble roedd ein blaenoriaethau ni! Dyna lle roedden ni'n llwytho casgenni o gwrw a photeli o Scotch i gefn y car tra oedd y chwaraewyr eraill yn poeni'n fwy am eu sgidiau pêl-droed.

Beth bynnag, gadawon ni'r Valley a symud i Selhurst Park ac er nad oedd hwnnw ond saith milltir a hanner o ble roeddwn i'n byw, byddwn i'n cymryd dwyawr a hanner i gyrraedd yno ar ddiwrnod gêm. Chawson ni mo'n talu am saith neu wyth wythnos ond fe ddigwyddodd un peth er gwell yn ystod y cyfnod hwnnw: unwyd y garfan. Roedd gyda ni ambell chwaraewr da iawn, ond lawn cyn bwysiced â hynny oedd y ffaith bod 'na ysbryd yn y tîm nawr. A chyrhaeddodd y cyfan ei benllanw pan gawson ni ddyrchafiad i'r Adran Gynta. Erbyn hyn, fi oedd capten y tîm. (Bues i'n gapten ymhob un o'r clybiau lle chwaraeais i). Fi oedd Chwaraewr y Flwyddyn. Roeddwn i hefyd bellach yn chwarae dros Gymru. Roeddwn i yn y tîm oedd newydd gael ei ddyrchafu i'r Adran Gynta, a fi sgoriodd y gôl fuddugol yn ein gêm ola y tymor hwnnw. Yng Nghaerliwelydd yng ngogledd Lloegr roedd hynny. Roedden ni'n gorfod mynd yno . . . ac ennill, ac roedd Caerliwelydd mor bell ag y gall rhywun fynd o Lundain. Roedden ni'n colli o un gôl i ddim ond, a thorri stori hir yn fyr, sgoriais i'r gôl fuddugol ac enillon ni 2–3. O ran y pêl-droed, allai pethau ddim bod yn well. Cyn gynted ag y daeth y dathliadau i ben yn y stafell newid, y peth cynta ddaeth i'm meddwl i oedd cael casgliad er mwyn prynu cymaint o ddiod ag y gallen ni ar gyfer y daith 'nôl i Lundain ar y bws. A dyna wnes i. Felly, er taw hwn oedd fy nghyfnod mwya cynhyrchiol a llwyddiannus ar y naill law, dyma hefyd ddechrau'r hyn a fyddai'n costio'n ddrud i fi yn y pen draw mewn sawl agwedd o 'mywyd. Meddwyn da oeddwn i. Roeddwn i'n gallu yfed, ac nid pawb oedd yn medru gwneud hynny.

Yna, fe benderfynais nad oeddwn i eisiau hyn ragor, y sylw a'r pwysau. Doeddwn i ddim eisiau chwarae i Charlton. Roedd sawl rheswm am hyn. Yn un peth roeddwn i wedi bod yno ers pedair blynedd ac wedi cyflawni llawer. Fel dwi eisoes wedi sôn, roedden ni newydd gael dyrchafiad i'r Adran Gynta a'm safle naturiol, arferol oedd amddiffynnwr canol, ond erbyn hyn chwaraewr canol cae oeddwn i, ac os ydw i'n onest doeddwn i ddim yn ddigon da i chwarae yn y safle hwnnw a ninnau yn yr Adran Gynta bellach. I ryw raddau, roeddwn i'n dygymod yn iawn achos bod gyda fi dechneg eitha da a gallwn i syrthio 'nôl ar hynny, ond mae chwarae yn y safle hwnnw ar y lefel ucha fel'na yn blydi galed. Felly, fe es i weld Lennie Lawrence a llwyddo i ddweud hynny wrtho mewn ffordd neis,

'Dwi wedi bod 'ma nawr ers rhyw bedair blynedd. Dwi wedi bod yn gapten, ond nawr mae eisiau sialens newydd arna i.'

A heb yn wybod i fi, roedd Leeds United wedi bod yn holi amdana i. Lennie ddywedodd hynny wrtha i. Y dyddiau hyn, bydden nhw wedi fy ffonio i'n bersonol.

Hefyd, roeddwn i yn ei chanol hi braidd, er gwell neu er gwaeth. Yr haf hwnnw cyn i fi fynd, roedd 'na anghydfod mawr yn mynd yn ei flaen i drio ennill codiad cyflog i bawb yn y garfan ac unwaith eto fi oedd ar flaen y gad achos taw fi oedd y capten. Ac er na surodd hynny unrhyw berthynas â Lennie, erbyn meddwl dylwn i fod wedi brwydro i roi trefn ar fy nghytundeb fy hun a gadael pethau eraill, ond yn lle hynny fe frwydrais i dros y lleill hefyd a chafodd pawb godiad cyflog. Wyth wythnos yn ddiweddarach daeth y cynnig gan Leeds United a phenderfynais ei bod hi'n bryd i fi symud ymlaen.

Felly, dwi'n cofio chwarae fy ngêm ola dros Charlton yn Selhurst Park yn erbyn Nottingham Forest yn yr Adran Gynta a phenderfynodd Lennie Lawrence fy nhynnu i bant hanner awr cyn y diwedd. Hyd yn oed pan fydda i'n ei weld e nawr bydda i wastad yn dweud,

'Yr hen fasdad! Fe wnest ti 'nhynnu i bant yn fy ngêm ola.'

Dyna'r unig dro erioed i fi gael fy eilyddio yn ystod fy ngyrfa gyda Charlton. Ei ateb i fi bob tro yw ei fod e wedi gwneud hynny er mwyn i'r dorf gael cyfle i 'nghymeradwyo ond dwi'n credu taw'r gwir reswm oedd am fy mod i'n gachu. Roeddwn i'n chwarae'n wael ac roedd fy mhen i yn rhywle arall.

Leeds United 1987

WEDYN ES I ARWYDDO dros Leeds United, ond wrth deithio yno i drafod manylion y cytundeb ac yn y blaen, yr unig beth oedd ar fy meddwl oedd y ffaith taw Billy Bremner oedd rheolwr y clwb. Roeddwn i eisiau mynd i siarad â nhw'n benna oherwydd Billy Bremner. Ar y pryd, doeddwn i ddim wedi sylweddoli pa mor anferth oedd Leeds United fel clwb pêl-droed. Dim ond un peth oedd yn mynd â'm bryd, sef cwrdd â fy arwr. Felly, es i gwrdd â nhw, ac yn y dyddiau hynny byddai pobl yn cyfarfod ar gyfer pethau fel hyn yn y Gwasanaethau wilh ochr yr M1 neu mewn llefydd tebyg. Fe gyrhaeddais yn ôl y trefniant i gwrdd â chynrychiolwyr Leeds United a ches i'r fath ergyd, y fath siom pan welais i taw'r prif sgowt a'r rheolwr cynorthwyol oedd yno. Doedd dim sôn am Billy Bremner! A gwrthodais i arwyddo dim na thrafod arian oni bai fy mod i'n cael gwneud hynny gyda Billy Bremner. Gwrthodais i'n lân. Roeddwn i'n meddwl fy mod i'n cael cyfle i gyfarfod â'm harwr ac roeddwn i am siarad ag e ac roeddwn i am ei glywed e'n dweud wrtha i yn ei eiriau ei hun ei fod e'n awyddus i fi chwarae drosto fe ac yn y blaen. Felly, gwrthodais i drafod. Dywedais i wrthyn nhw fy mod i eisiau siarad â'r rheolwr. Ond wnes i ddim dangos iddyn nhw fy mod i'n arfer gwisgo rhif 4 ar fy sanau pan oeddwn i'n grwt chwaith!

Felly, deuddydd yn ddiweddarach, teithiais i Elland Road a dwi'n cofio eistedd yn y swyddfa yno. Nawr, yn swyddfa'r rheolwr roedd 'na ddrws a'r tu ôl i hwnnw roedd y PA yn gweithio. Yn sydyn, dyma'r drws yn agor a phwy ddaeth drwyddo ond Billy Bremner . . . ac roeddwn i'n methu siarad. Nid gwrthod siarad y tro hwn ond methu siarad. Dim gair. Dyna lle roeddwn i, dyn yn ei oed a'i amser, chwaraewr rhyngwladol profiadol, yn methu dweud na bw na be achos taw Billy Bremner oedd y dyn a safai o 'mlaen i. A hyd y dydd heddiw does gyda fi ddim syniad beth a arwyddais i. Mewn bywyd dwi'n credu fod gan bobl arwyr, ac maen nhw'n dweud wrtha i y gall pobl gael eu siomi weithiau os byth y llwyddan nhw i gwrdd â'u harwr. Yn achos Billy, ches i erioed fy siomi ganddo. Dim unwaith. Roedd e'n rheolwr gwirioneddol anobeithiol, ond am ddyn! Tase fe wedi cael hyfforddwr da i weithio gyda fe byddai fe wedi bod yn rheolwr pêl-droed ardderchog. Roedd e'n gallu rheoli dynion yn wych ond doedd fawr o glem gydag e fel hyfforddwr pêl-droed, achos waeth beth oedd y sgôr, hyd yn oed tasen ni'n colli 5–0 neu'n ennill 5–0, yr un fyddai'r sesiwn hyfforddi bob dydd: cylch a phump bob ochr, cylch a phump bob ochr. Roedd angen hyfforddwr arno a allai adnabod yr anghenion a phenderfynu ar y tactegau. Yn ddiweddarach, ar ôl iddo orffen, fe ddaeth Billy i Gasnewydd i siarad mewn derbyniad roeddwn i a Penny wedi'i drefnu.

Y flwyddyn yr ymunais i â Leeds United oedd blwyddyn gynta'r gêmau ail gyfle. A llwyddodd Leeds i gyrraedd ffeinal gêmau ail gyfle 1987 a'n gwrthwynebwyr oedd neb llai na . . . Charlton Athletic! Yr union dîm roeddwn i newydd ymadael ag e yn erbyn y tîm roeddwn i newydd ymuno ag e! Roeddwn i wedi gwneud cymaint i helpu Charlton i gyrraedd lle roedden nhw a dyma fi nawr, capten y clwb newydd, yn ceisio'u rhoi nhw 'nôl i'r man lle roedden nhw pan ddechreuais i gyda nhw. Doedd hynny ddim yn hawdd. Fe gollon ni 1–0 yn Selhurst Park ac fe enillon ni 1–0 yn Elland Road. Doedd dim amdani felly ond chwarae trydedd gêm, ac yn Birmingham roedd honno, yn St Andrews. Roedd yno dorf o 35,000 ac roedd 33,000 o'r rheini'n cefnogi

Leeds United a dim ond 2,000 yn gweiddi dros Charlton. Y sgôr ar y diwedd oedd 0-0 a bu'n rhaid mynd i amser ychwanegol. Fe wnaeth John Sheridan, sy'n dal i fod yn ffrind i fi, roi Leeds United ar y blaen ond wedyn sgoriodd bachgen o'r enw Peter Shirtliff ddwy gôl i Charlton ac fe gollon ni 2-1. Felly arhosodd Charlton lle roedden nhw yn yr adran a gwnaeth Leeds yr un fath.

Dwi'n cofio mynd ar y bws ar ôl y gêm a gweld Billy yn eistedd yn y ffrynt, ac roedd e'n llefain a dwi'n cofio meddwl i fi fy hun fod y dyn 'ma wedi gwneud popeth. Roedd e wedi chwarae yng Nghwpan y Byd ac yn y blaen, ond ei glwb e oedd hwn ac roedd e'n torri'i galon. A wnaeth y clwb byth ddod dros y bennod honno, ddim go iawn. Y tymor canlynol roedd hi'n eitha anodd arnon ni. Roedden ni o gwmpas wythfed o'r gwaelod yn yr adran ac roedd pawb yn dioddef ar ôl dod mor agos i gael ein dyrchafu, dim ond i golli o drwch blewyn fel'na. Yn y pen draw cafodd Billy'r sac. Cafodd y boi 'ma oedd yn arwr i fi, yn ffrind i fi er fy mod i'n gapten ar y tîm, gic mas.

A daeth Howard Wilkinson yn ei le. Nawr, roedd 'na fyd o wahaniaeth rhwng Howard Wilkinson a Billy ar y cae hyfforddi, ond nid dyna'r unig wahaniaeth. A dweud y gwir yn onest, wnaethon ni ddim cyd-dynnu. Dwi'n cofio'r cyfarfod cynta gawson ni. Ces i 'ngalw i'w swyddfa. Nawr, un styfnig oeddwn i, ac unwaith y cafodd Billy gic mas, roeddwn i eisoes wedi penderfynu fy mod innau'n gadael y clwb. Hwn oedd un o'r clybiau mwya ym Mhrydain, ond roedden nhw wedi cael gwared â'm ffrind a doedd dim dewis gyda fi ond gadael. A rhywbeth fel hyn oedd swm a sylwedd y sgwrs gynta rhyngo' i a Howard, y rheolwr newydd:

'Ti yw capten y tîm 'ma, fy machgen i.'

A dyma fi'n dweud yn syth,

'Peidiwch â gweud "fy machgen i". Dim ond fy nhad sy'n cael gweud hynny ac mae hwnnw wedi marw.'

'Fe alwa i ti'n beth bynnag dwi eisie.'

'Ac os felly, wna i ddim eich ffycin ateb chi,' meddwn innau.

Wedyn, dyma fe'n dweud,

'Iawn, dwi'n parchu hynny, ond mae'n rhaid i reolwr a chapten fod fel gŵr a gwraig, ac mae'n rhaid iti fedru teimlo y gelli di weud pethe wrtha i.'

Ar y pryd roedd gyda ni ddiwylliant yfed cryf iawn yn Leeds. Roedd pobl fel John Sheridan, Noel Blake ac Ian Baird yn yfwyr mawr. Roedd John Sheridan yn chwaraewr dosbarth cynta o ran ei safon, ond roedd e'n ifanc.

A dyma Howard yn dweud,

'Os daw Sheridan i mewn yn y bore â gwynt alcohol ar ei anadl, mae'n rhaid iti fedru teimlo fod ti'n gallu gweud wrtha i, Mark.'

A saethais i 'nôl,

'Felly, beth 'ych chi'n moyn i fi wneud, Howard, yw cleco. O ble dwi'n dod, d'yn ni ddim yn cario clecs. Y peth gore allwch chi wneud yw hyn: chi'n gweld y boi bach 'na wnaethoch chi'i arwyddo – Strachan – penodwch hwnnw'n gapten.'

Ta beth, fe soniais i wrth John Sheridan gan ei fod e'n ffrind i fi. Roedd e'n arfer yfed gyda fi, felly. Ar ôl y sgwrs honno gyda Howard, es i 'nôl i'r stafell newid a'r peth cynta ofynnodd John Sheridan i fi oedd,

'A beth o'dd hwnna moyn 'da ti?'

'A gweud y gwir yn onest wrthot ti, Shez, mae e'n moyn i fi fynd i weud wrtho fe os wyt ti'n dod i'r gwaith yn y bore'n gwynto o alcohol,' atebais.

Ar ôl hynny, aethon ni mas i hyfforddi a phan ddaethon ni 'nôl dyma Howard yn galw cyfarfod yn ddirybudd. Roedd e'n tueddu i alw cyfarfodydd drwy'r amser a bob tro byddai'n rhaid i'r bois eistedd yn y stafell newid ac aros ac aros ac aros, weithiau am awr gyfan. Ta beth, ar y diwrnod arbennig hwn, ei ddiwrnod cynta un yn y job, roedden ni wedi bod yn eistedd yn aros amdano am ryw ddeugain munud siŵr o fod, ac o'r diwedd dyma'r drws yn agor ac i mewn â Howard i'r stafell newid. Ond lwyddodd e ddim i roi un droed o flaen y llall fwy na dwywaith cyn i John Sheridan godi ar ei draed i siarad.

'Os 'ych chi eisie gwbod os 'dw i 'di cael rhwbeth i' ffycin yfed, gofynnwch i fi eich hunan,' meddai.

A meddyliais i yn y fan a'r lle ei bod hi'n ddomino arna i wedyn.

Wel, fe wnes i barhau i chwarae am sbel a chadwais i fy lle fel capten, ond doedd e ddim yn teimlo'n iawn i fi ragor a'r cwbl roeddwn i am ei wneud oedd mynd o'na.

Wedi dweud hynny, roedd y bywyd cymdeithasol yn Leeds yn ffantastig. Pan oeddwn i yno prynais i geffyl. Ei enw oedd Mark Aizlewood! Prynais i fe achos mod i'n hoff o rasio ceffylau a ches i lot o hwyl gyda fe. Roeddwn i wrth fy modd â'r ochr gymdeithasol ac roedd bod yn berchen ar geffyl yn esgus i fynd mas am y dydd. Fe gostiodd e ffortiwn i fi a buodd e gyda fi am ryw bymtheg mis i gyd. Os ydw i'n cofio'n iawn, rhedodd e ryw saith o weithiau ac enillodd e un ras, 13-2 yn Ripon. Enillais i arian dychrynllyd ar y ras honno, miloedd o bunnau, ac er mod i wedi cael fy arian i gyd 'nôl, busnes drud iawn oedd cadw ceffyl, felly penderfynais i gael ei wared e a rhoi'r gorau i'm gyrfa fer fel rasiwr ceffylau.

Yn Leeds United roedd carfan 'chwech cyn chwech' yn arfer bod gyda ni. Byddai gêm yn dod i ben fel arfer o gwmpas ugain munud i bump ac erbyn ichi gael cawod a gwrando ar Howard, byddai'n tynnu am ugain munud *wedi* pump. Erbyn ichi gyrraedd bar y chwaraewyr wedyn, byddai'n rhaid ichi lyncu chwe pheint cyn chwech o'r gloch am fod y bws wastad yn gadael am chwech. Byddwn i, John Sheridan, Noel Blake a Bobby Davison yno, ac er nad oedd gyda ni broblem ddisgyblaeth fel y cyfryw achos roedd pob un ohonon ni'n broffesiynol yn hynny o beth, roedd gyda ni ryw gymaint o broblem o safbwynt ein ffordd o fyw.

Y peth yw, mewn clwb o faint Leeds United yr adeg honno roedd hi'n bosib ichi wneud beth bynnag fynnoch chi, fwy neu lai. Roedd e'n glwb anferth. Tasech chi'n cael eich dal am yrru'n rhy gyflym neu am yfed a gyrru, fel y digwyddodd yn achos ambell un, doedd dim eisiau ichi boeni achos roedd yr ynadon yn gefnogwyr selog. Roedd ganddyn nhw docyn tymor. Roedd hi'n hawdd byw mewn swigen, mewn byd bach oedd yn hollol ffug, ac roeddwn innau yn y swigen honno. Ac efallai fod ambell chwaraewr pêl-droed sydd wrthi heddiw yn Uwchgynghrair Lloegr yn byw mewn swigen debyg . . . dwi ddim yn gwybod. Ond pan oedd Billy'n rheolwr byddai fe'n eich galw i'w swyddfa i gael gair bach yn eich clust ar fore Llun. Roedd nifer ohonon ni'n byw mas yn Wetherby yr adeg honno, ac oherwydd taw fi oedd y capten, byddwn i'n cael galwad i fynd i'w weld ambell waith, a byddai fe'n rhoi rhybudd bach i fod yn ofalus am fod landlord rhyw dafarn wedi ffonio i gwyno, neu rywbeth tebyg. Dyna steil Billy.

Un diwrnod, yn eitha buan ar ôl i Howard gymryd drosodd, ces i alwad ganddo i fynd i'w weld yn ei swyddfa unwaith eto.

'Rwy'n credu bod gyda ni damed bach o broblem yn y clwb 'ma o safbwynt ymddygiad a gwahanol bethe, ac rwy wedi arwyddo rhywun i ddatrys hynny – rhywun sy'n gallu arwain,' meddai Howard.

'Popeth yn iawn,' meddwn innau, a'r tu ôl iddo roedd y drws roedd Billy wedi cerdded drwyddo o swyddfa'r PA y tro cynta inni gyfarfod, a dyma Howard yn ychwanegu,

'Gad i fi'ch cyflwyno chi.' Ac agorodd y drws a cherddodd neb llai na Vinnie Jones i mewn! Roedd e wedi arwyddo Vinnie Jones i roi trefn arnon ni, ond cyn pen mis Vinnie oedd cadeirydd y garfan chwech cyn chwech! Roeddwn i wastad yn cyd-dynnu'n dda â Vinnie, ond roeddwn i ar fy ffordd o'r clwb a wnes i ddim ei weld e'n aml iawn. Wnes i ddim hyfforddi llawer gydag e chwaith ond fe gwrddon ni â'n gilydd unwaith eto pan ymunodd e â charfan Cymru. Mae Vinnie'n foi hyfryd iawn ond yr eiliad roedd e'n cael ei roi mewn amgylchedd cyhoeddus lle roedd posibilrwydd o ddod wyneb yn wyneb â newyddiadurwyr byddai fe'n troi'n berson arall, yn berson gwneud, fel rhyw fath o beiriant cyhoeddusrwydd. Fel'na roedd e bryd hynny ta beth. Mae e'n fachan caled iawn, ond roedd e hefyd yn arweinydd, yn arweinydd ar ddynion, ac mae arweinwyr yn denu dilynwyr. Mae hi siŵr o fod yn deg dweud taw Vinnie oedd y person pwysica i Howard ei arwyddo. Un i osod safonau oedd e ac yn wir fe osododd e'r safonau *ar ran* Howard. Wedyn byddai pobl yn dilyn Vinnie ac yn parchu ei safonau, ond rhai Howard oedd y rheiny yn y pen draw.

Nawr, roedd Howard yn dactegydd gwych ac roedd e wedi rhoi siâp arnon ni fel carfan. Hefyd, roedd gyda ni nifer dda o chwaraewyr rhyngwladol yn y tîm i wneud ei waith yn haws. Ta beth, fe saethon ni lan y gynghrair, ac roedden ni'n gorfod ennill y gêmau hynny oedd ar ôl y tymor hwnnw er mwyn cyrraedd y gêmau ail gyfle unwaith eto. Ar ôl gwneud cystal drwy'r tymor, yn sydyn reit dyma ni'n dechrau pylu ryw ychydig tua'r diwedd ac fe gollon ni gêm neu ddwy. A daeth hi'n amser chwarae yn erbyn Walsall yn Elland Road. Yr wythnos flaenorol roedden ni wedi colli gartre ac achos taw fi oedd y capten, fi oedd yn ei chael hi gan y ffans anfodlon. A dwi'n cofio meddwl ar y pryd, 'Beth wy'n mynd i'w wneud ynglŷn â hyn? Sut alla i weithio fy ffordd mas o fan hyn?'

Wel, fe gyrhaeddodd gêm Walsall. Os ydw i'n cofio'n iawn, roedd Walsall ar waelod y gynghrair, a rhyw chwc deg munud i mewn i'r gêm, di-sgôr oedd hi o hyd yn Elland Road a'r dorf erbyn hyn yn mynd yn wallgo. Bob tro daeth y bêl ata i, bydden

nhw'n gweiddi a chwibanu a bŵan. Yna'n sydyn, aeth y bêl ar hyd
yr asgell dde ac yn ystod pob un o'r trichant a hanner o gêmau
roeddwn i wedi'u chwarae yn fy ngyrfa bêl-droed hyd at yr eiliad
honno, pryd bynnag y byddai'r bêl yn mynd i lawr yr ochr dde
byddwn i jest yn aros iddi ddod 'nôl mas, ond y tro yma, am fod y
dorf yn bŵan arna i mae'n debyg, rhedais i mewn i'r bocs. A myn
uffarn i, daeth y croesiad i mewn a 'mwrw i ar fy mhen a
saethodd y bêl i gefn y rhwyd! Wir i Dduw. Wel, os do fe, aeth y
30,000 oedd yn y dorf yn wyllt. Y rhain oedd newydd fod yn
bŵan ac yn gweiddi arna i. A'r eiliad honno, fe dorrodd rhywbeth
yn fy mhen a dywedais i'n dawel, 'Digon yw digon.' Wrth i fi droi i
gerdded 'nôl tuag at ganol y cae troais at y dorf a chodi dau fys
arnyn nhw, reit rownd y cae. Yna, es i at y llinell ganol, tynnu'r
band oedd am fy mraich – band y capten – ei daflu ar y smotyn
a'i ddamshil dan draed. Ces i fy eilyddio o fewn eiliadau. Cerddais
i bant o'r cae a wnes i ddim chwarae'r un gêm arall i Leeds United
byth wedyn. Ces i 'ngwahardd am bythefnos a cheisiodd Howard
fy mherswadio i aros, ond roeddwn i wedi cael digon.

Bradford City 1989

UNWAITH Y GADEWAIS i Leeds, roeddwn i eisoes wedi cael fy mlynyddoedd gorau. Roedd yr holl yfed wedi dechrau dala lan â fi ac o fan'na ymlaen dirywio wnaeth fy ngyrfa bêl-droed – ar lefel clwb ta beth. O gofio fy oedran ar y pryd, byddech chi'n meddwl y byddai'r blynyddoedd gorau eto i ddod, ond nid felly yn fy achos i. Er hynny, dwi'n hastu i ddweud taw stori arall oedd hi ar lefel ryngwladol.

Pan ymunais i â Bradford, Terry Yorath oedd y rheolwr. Mae'n deg i fi ddweud fan hyn taw rhyw nofio yn fy unfan oeddwn i bellach. Roeddwn i wedi colli pob diddordeb ar lefel clwb ac roedd rhywbeth oedd wedi rhoi cymaint o ddiléit i fi ers yn fachgen wedi troi'n eitha diddrwg-didda. Roedd pêl-droed wedi colli'i awch i fi. Fy mhrif uchelgais oedd dal i chwarae hyd at fy nhri deg pum mlwydd oed er mwyn cael gafael ar fy mhensiwn! Fy niddordeb mawr arall wrth gwrs oedd cymdeithasu. Roeddwn i wir eisiau gadael Leeds ond doeddwn i ddim eisiau gadael yr ochr gymdeithasol oedd mor wych yno. Roedd byw yn Wetherby a theithio 'nôl a mlaen i Bradford ar gyfer fy swydd yn ystod y dydd yn hawdd iawn.

Un o'm cyd-yfwyr yn y cyfnod yma oedd neb llai na'r rheolwr ei hun, Terry Yorath. Roeddwn i'n arfer meddwl ei fod e'n wallgo. Roedd e'n yfed rownd y rîl, ond doeddwn innau ddim gwahanol. Doedd y ffaith ein bod ni'n byw ar bwys ein gilydd ddim yn helpu chwaith. Dwi'n gallu cofio un stori am Terry Yorath sy'n dweud cyfrolau amdano fe. Rhyw fore dydd Llun oedd hi a ches i 'ngalw i fynd i'w weld e yn ei swyddfa. Felly dyma fi'n mynd yn ufudd, ond ar ôl i fi gyrraedd aeth e'n wyllt gyda fi. Roedd colled arno fe.

'Os byth wnei di hyn eto, wnei di ddim chwarae i fi ragor.'

Doedd gyda fi ddim clem ynghylch beth roedd yr holl ffwdan.

'Taff, be sy'n bod arnat ti?' gofynnais.

Nawr, roedd 'na groesffordd lle roedden ni'n arfer byw ac wrth fynd un ffordd byddech chi'n cyrraedd tŷ Terry, tra oedd fy nghartre innau a'r tafarn i'r cyfeiriad arall. Ar yr achlysur dan sylw, yn lle mynd i gyfeiriad ei dŷ e, mae'n debyg mod i wedi troi'r ffordd arall, i'r chwith, tuag at y tafarn. A dyna oedd wrth wraidd ei storom ar y dydd Llun canlynol.

'Paid di â gwneud hynny i fi byth eto! On i'n meddwl bod ni'n ffrindie. Pam 'set ti wedi dod i alw amdana i? Est ti bant i'r tŷ tafarn hebddo i.'

A dyna'r cwbl oedd wedi achosi'r ffrae.

Yr adeg honno, Terry Yorath oedd y rheolwr rhyngwladol hefyd. Pan gymerodd e drosodd ar ôl Mike England, ces i fy newis yn rheolaidd i chwarae dros y tîm cenedlaethol. Efallai bod y ffaith fy mod i'n un o'i bartneriaid yfed wedi helpu – sa i'n gwybod. Ond er gwaetha cael fy newis yn rheolaidd, dim ond ar ôl ennill rhyw bymtheg cap y dechreuais i deimlo'n hyderus y byddwn i'n cael fy nghynnwys yn y garfan.

Y cyfnod yma ar ddechrau'r nawdegau, pan oedd Yorath wrth y llyw, hyd at y siom derfynol, pan gollon ni yn erbyn Rwmania, oedd fy nghyfnod gorau'n rhyngwladol. Dyma'r adeg y daeth Cymru o fewn trwch blewyn i fynd drwodd i Gwpan y Byd 1994. Roedd ochr gymdeithasol y tîm hwnnw'n wych hefyd; daeth pobl yn ffrindiau oes. A dwi'n cysylltu popeth oedd yn dda ynglŷn â phêl-droed rhyngwladol a'r boi 'ma, Terry Yorath. Ond yn cyd-fynd â'r cyfnod yma hefyd oedd y diwylliant yfed mwya a chryfa fuodd erioed o bosib yn nhîm pêl-droed Cymru. Fe ddigwyddodd ochr yn ochr â'r llwyddiant, felly pam rhoi stop arno? Pam newid dim byd?

Pan ddechreuais i chwarae gynta dros Gymru ychydig flynyddoedd cyn y cyfnod yma, bydden ni'n cwrdd ar brynhawn dydd Sul cyn gêmau a'r peth cynta y bydden ni'n ei wneud, pob un ohonon ni, fyddai mynd mas a meddwi'n gachu dwll. Felly fyddai dim llawer o siâp ar yr hyfforddi ar y dydd Llun. Wedyn ar y nos Lun ar ôl hyfforddi byddai chwaraewyr yn slipo mas eto am gwpwl o beints er bod y gêm fawr ar y dydd Mercher, cofiwch! Aeth hyn yn ei flaen am flynyddoedd. Yn ddiweddarach bydden ni'n dechrau cwrdd ar nos Sadwrn er mwyn i chwaraewyr feddwi'n gachu y noson honno a thrwy'r dydd ddydd Sul. Ond doedd hynny ddim yn ddigon chwaith ac erbyn cyfnod Terry bydden ni'n cwrdd ar y dydd Mercher blaenorol a gwneud beth bynnag roedden ni'n moyn tan y bore Llun cyn y gêm! Ond erbyn bore Llun roedd yr hyfforddi'n gorfod bod yn berffaith. Un peth da o leia am hynny oedd y byddai'r bois wedi cael yr holl yfed mas o'u system mewn da bryd. Byddai'n amhosib gwneud pethau fel'na heddiw. Ond dyna oedd ffordd Terry Yorath a bu bron iawn inni gyrraedd Cwpan y Byd. Cofiwch, yn y dyddiau hynny roedd gyda ni ambell chwaraewr oedd yn gallu cystadlu â'r goreuon yn y byd, pobl fel Rushie, Kevin Ratcliffe, Neville Southall, ac roedd chwarae i Gymru fel cael hoe fach i'r rhain.

Roedd yr holl brofiad rhyngwladol yn wych i fi ac yn yr un modd roedd yr ymdeimlad Cymreig, y teimlad eich bod chi'n Gymro'n cynrychioli'ch gwlad, yn wych hefyd. Erbyn hyn, mae'n gas gen i orfod cyfaddef, fydda i ddim hyd yn oed yn gwybod weithiau fod Cymru'n chwarae! Ond roedd chwarae dros eich gwlad yn rhywbeth arbennig iawn, iawn.

Y gêm sy'n sefyll mas yn ystod y cyfnod hwnnw, wrth gwrs, yw'r un pan guron ni'r Almaen 1–0. Dyna'r gêm ryngwladol fwya cofiadwy i fi. Y dyddiad oedd Mehefin 5, 1991, a'r lleoliad oedd

Parc yr Arfau yng Nghaerdydd. Roedd Cymru yn yr un grŵp â'r Almaen – Grŵp 5 – a'r ddwy wlad yn brwydro am le yng ngêmau terfynol Ewro 1992. Mae hyd yn oed Rushie'n dweud taw hon oedd ei gêm ryngwladol fwya (siŵr o fod achos taw fe sgoriodd y gôl fuddugol!). Drwy gydol y gêm chawson ni ddim llonydd ganddyn nhw, dim eiliad. Roedden nhw ymhobman a dyna lle roedden ni'n gorfod penio peli mas a chlirio bob munud. Ond yna, awr a chwe munud i mewn i'r gêm, dyma Paul Bodin yn llwyddo i roi'r bêl dros ben yr amddiffynwyr er mwyn i Rushie ei hanfon i gefn y rhwyd . . . ond fi oedd yr un oedd wedi penio'r bêl i Paul Bodin. A llwyddodd Cymru fach i guro Pencampwyr y Byd!

Ond mae'n bwysig nodi beth ddigwyddodd dipyn yn gynharach yn y gêm achos mae ganddo berthynas â'r hyn a arweiniodd at y gôl honno. Roedd Cymru wedi cael cornel ac roeddwn i'n sefyll o gwmpas y llinell ganol. O 'mlaen i roedd y boi 'ma o'r Almaen a dwi'n cofio edrych arno fe, ar ei liw haul hyfryd a'i wallt golau perffaith. Roedd y cit Adidas roedd e'n ei wisgo'n edrych yn ffantastig. Edrychais i ar ei sgidiau a darllenais i 'Enillwyr Cwpan y Byd 1990 – Jürgen Klinsmann'. Yna, edrychais i ar beth roeddwn innau'n ei wisgo. Am fy nhraed roedd sgidiau Hi-Tech a rhwyg ynddyn nhw. Roeddwn i heb siafo ers tridiau ac am hanner eiliad dechreuais i feddwl na ddylwn i fod yno, ar y cae hwnnw'n wynebu enillwyr Cwpan y Byd. Beth ddiawl roedd bachgen o Gasnewydd yn ei wneud fan hyn yn chwarae ar yr un cae â rhywun fel Klinsmann? Aeth hyn yn ei flaen yn fy mhen am ychydig eiliadau ac yna, beth bynnag oedd y rheswm drosto fe, fe ddes i mas o'r delwi a dechreuais i gofio pam yn rhannol roeddwn i yn y tîm yn y lle cynta. Roeddwn i yno i ddychryn, i fygwth, i hala ofn ar y gwrthwynebwyr. Roeddwn i yno i fod yn foi caled. Felly, dyma fi'n gofyn i fi fy hun,

'Be' ti'n mynd i wneud 'te, Aize?'

A'r hyn wnes i oedd damshil ar gefn ei droed a'i dolcio yng nghefn ei ben, a dyma fe'n troi tuag ata i.

'Ti'n ffycin wallgo,' meddai.

'Odw, fi'n wallgo. Ac os doi di'n agos ata i rwyt ti'n mynd i gael rhagor.'

Roedd y math yna o ymddygiad yn fwy cyffredin bryd hynny ond erbyn heddiw mae llai o bethau fel'na'n digwydd am fod mwy o gamerâu'n ffilmio ac felly mae'n haws i rywun gael ei ddal. Ond nid dyna ddiwedd y stori fel y cyfryw, oherwydd fel arfer mewn gêmau pêl-droed mae'r hyn rydych chi wedi'i wneud yn ystod yr awr gynta yn penderfynu beth sy'n digwydd yn yr hanner awr ola. Felly, cyn inni sgorio'r gôl anfarwol fe gafodd y bêl ei chlirio o'r amddiffyn ac fe laniodd hi rhwng Jürgen Klinsmann a fi, a dwi'n gwybod i sicrwydd ei fod e wedi edrych arna i a chachu ei hunan achos fe gofiodd beth oedd wedi digwydd yn gynharach yn y gêm. A gadawodd i fi gael y bêl yn hawdd. Mae e'n gwybod hynny a dwi'n gwybod hynny. A'r cyfan wnes i wedyn oedd ei bwrw i'r ochr at Paul Bodin a chafodd darn bach o hanes ei greu.

Roedd y gêm honno'n hanesyddol am reswm arall hefyd oherwydd dyna oedd y tro cynta erioed i'm mam fynd i weld gêm bêl-droed ryngwladol. Dewisodd hi gêm anferth, chwarae teg iddi! A phan oeddwn i'n sefyll ar y cae ar gyfer 'Hen Wlad Fy Nhadau' roeddwn i'n ymwybodol iawn fod fy mam yn y dorf. Ar ôl i Dad farw byddwn i wastad yn gwisgo'i fodrwy wrth chwarae. (Yn anffodus, fe gafodd y fodrwy ei dwyn rai blynyddoedd wedyn ym Mangor o bobman!) A dyna lle roeddwn i'n sefyll ar ganol Parc yr Arfau gyda Mam yn y dorf, modrwy fy nhad am fy mys, miloedd ar filoedd o Gymry'n canu'r anthem genedlaethol nerth eu pennau a minnau'n chwarae yn erbyn pencampwyr y byd! Oes gwell i'w gael, dywedwch? Roedd y balchder yn llifo ohono' i. A dwi'n cofio cusanu modrwy fy nhad am y tro cynta erioed a chofio mod i'n ymwybodol iawn bod llawer o bobl wedi buddsoddi amser ac ymdrech yno' i ac wedi credu yno' i o'r dechrau. Roedden nhw wedi cadw'n driw ac roedd ganddyn nhw ran ym mathodyn Cymru ar fy nghrys. Y funud honno roeddwn i'n ymwybodol iawn pwy oedden nhw a dwi erioed wedi teimlo'r fath emosiwn ar gae pêl-droed ers y diwrnod hwnnw. Dyna hefyd oedd y gêm lle cychwynnais i mor wan a dechrau amau fy hunan, a bu'n rhaid i fi syrthio 'nôl ar hen arferion yn fy nghymeriad, ar y profiad a'r blynyddoedd o ymarfer a dyfalbarhau. Yn ddi-os, doedd yr hyn oedd newydd ddigwydd yn union cyn dechrau'r gêm ddim wedi gwneud fy nhasg yn hawdd. Roeddwn i dan deimlad mawr.

Ar ben hyn oll roeddwn i'n arfer teimlo'n grac iawn gyda fi fy hun ar adegau fel hyn am na allwn i ganu'r anthem genedlaethol. Felly, roedd y penderfyniad i ddysgu Cymraeg yn nes ymlaen yn beth mawr i fi. Byddwn i'n rhoi hynny ymhlith y prif bethau ar y rhestr o lwyddiannau yn fy mywyd. Mae'n uwch na llawer o'm llwyddiannau ar y cae pêl-droed hyd yn oed achos doedd dim rhaid i fi ddysgu Cymraeg. Roeddwn i eisiau gwneud hyn er fy mwyn i'n bersonol. Efallai hefyd fy mod i eisiau profi rhywbeth.

Ta beth, 'nôl ar lefel clwb, dim ond am un tymor y bues i gyda Bradford a dim ond rhyw dri deg naw o weithiau y chwaraeais i iddyn nhw. Yn ystod fy nghyfnod gyda Bradford collon ni ein lle yn yr adran am ein bod ni'n chwarae'n rwtsh. Dwi'n cofio cael ein curo'n rhacs gan Watford; 7–0 oedd y sgôr a chwaraeais innau'n rwtsh hefyd. A dwi'n cofio Terry Yorath yn rhoi pryd o dafod i fi ar ôl y gêm honno.

'Ti oedd un o'm chwaraewyr gwaetha! Ches i ddim hanner y pethe roeddwn i'n eu disgwyl gen ti.'

Yr hyn dwi'n ei gofio hefyd am y gêm honno oedd mod i heb weiddi ar neb i wneud yn well, hyd yn oed pan oedden ni ar ei hôl hi 6–0. Felly, cafodd Terry Yorath y sac a daeth John Docherty yn ei le. Ac roeddwn innau eisiau mynd hefyd. Felly, dwi'n cofio mynd i weld John Docherty. Ar y pryd doedd iechyd fy mam ddim yn gryf ac roeddwn i'n awyddus i symud yn nes adre i fod gyda hi, a defnyddiais i hynny fel esgus os ydw i'n berffaith onest. Yna, ces i alwad ffôn gan brif sgowt Bristol City yn gofyn i fi fynd yno ac roedd hynny'n beth gwych i fi achos roedd yn golygu mod i'n gallu symud 'nôl i'm tre enedigol i fyw.

Bryste 1990

ROEDD SYMUD i Bristol City yn benderfyniad gwych, nid yn unig yn ariannol ac yn bersonol ond o safbwynt y pêl-droed hefyd. Roedd y clwb yn un da ac roedd e'n dda i fi. Ac ar ben hynny roedden nhw'n symud i'r cyfeiriad iawn. Cofiwch, roeddwn i wedi mynd o Leeds United i Bradford ac efallai mod i wedi dechrau meddwl erbyn hyn, 'Rwyt ti ar dy ffordd i lawr, yr hen Aize.' Ond pan ges i fy nhrosglwyddo i Bristol City, mewn sawl ffordd ces i ail wynt. Ces i ail gyfle. Ces i fy atgyfodi fel petai. Roedd City ar eu ffordd lan a nhw oedd y clwb mwya ym Mryste. Gyda'r rhain oeddwn i, nid gyda Bristol Rovers. Cafodd fy ngyrfa ryngwladol ei hatgyfodi hefyd ac mae siŵr o fod yn deg dweud taw tra oeddwn i'n chwarae i Bristol City y ces i fy amser gorau'n rhyngwladol. Cyn hynny roeddwn i wedi cael cyfle i fynd i glwb Abertawe ond mod i wedi gwrthod achos allwn i ddim gweld fy hun yn chwarae dros y Jacs; roeddwn i wastad wedi'u casáu nhw ers yn blentyn. Rheswm arall dros eu gwrthod oedd y Vetch. Dyna lle roedden nhw'n chwarae ar y pryd a thwll o le oedd e. Doeddwn i ddim yn ffansïo mynd i'r gwaith yn y Vetch tra bod cyfle i chwarae yn Ashton Gate.

Roedd cyfleusterau'r clwb yn ardderchog ac roedd Joe Jordan yn rheolwr ifanc a brwd. Fel y clwb ei hun, roedd y boi 'ma'n dda i fi hefyd. Yn un peth roedd e'n ddisgyblwr da. Pan dwi'n dweud ei fod e'n ddisgyblwr da dwi ddim yn golygu ei fod e wedi gorfod cadw trefn arna i. Doedd dim rhaid iddo wneud hynny. Os gofynnwch chi i unrhyw un o'm rheolwyr dros gyfnod o bum mlynedd ar hugain fu dim rhaid i'r un ohonyn nhw fy nisgyblu erioed am drosedd yn ymwneud ag yfed achos roeddwn i'n yfwr da ac roeddwn i'n hyfforddwr da iawn. I lawer o'r rhai ifanc roeddwn i'n esiampl fel chwaraewr proffesiynol, a dim ond fi oedd yn gwybod am y busnes yfed. Pan dwi'n dweud bod Joe Jordan yn ddisgyblwr da dwi'n golygu ei fod e'n arfer rhedeg y clwb mewn ffordd broffesiynol iawn. Dwi'n cofio eistedd yn ei swyddfa un tro yn trafod arian a hwn a'r llall ac arall a dwi'n cofio meddwl mod i'n casáu'r dyn 'ma. I fi, hwn oedd y dyn oedd wedi llawio'r bêl yn y gêm fawr rhwng yr Alban a Chymru yn Anfield a arweiniodd at fethiant Cymru i fynd drwodd i gêmau terfynol Cwpan y Byd yn 1978. Roedd e'n bwnc llosg anferthol ar y pryd ond yr Alban, nid Cymru, gafodd y gic o'r smotyn! Felly, ar ôl dod i gytundeb ynglŷn â'r arian, dwi'n cofio gofyn iddo fe,

'Gwedwch wrtha i, Mr Jordan, a wnaethoch chi lawio'r bêl yn Anfield?'

Edrychodd e arna i a dyma oedd ei ateb,

'Dyw e'n ddim o dy fusnes di.'

Digon teg! Roedd e'n rhedeg y clwb o'r bôn i'r brig mewn ffordd hynod broffesiynol. Pethau bach oedden nhw, ond pethau bach pwysig, fel gorfodi pawb i wisgo fflip-fflops yn y gawod. Wedyn y paratoi ar gyfer gêmau a'r lle amlwg a roddai i faeth. Roedd e wedi bod i'r Eidal ac wedi dysgu llawer yno ac fe ddaeth â sawl peth 'nôl gydag e i Fryste, pethau sy'n aros gyda fi hyd y dydd heddiw. Er enghraifft, pan fydden ni'n hyfforddi cyn gêm byddai fe'n gwneud yn siŵr ein bod ni'n gwneud hynny ar gae oedd yn union yr un maint â'r cae lle bydden ni'n chwarae go iawn ar y dydd Sadwrn canlynol (achos mae caeau'n gallu amrywio o ran maint) fel bod ymarfer corneli neu batrymau gosod yn digwydd dan amodau realistig. Hefyd roedd gydag e lefelau ffitrwydd uchel iawn ei hun ac ambell waith byddai fe'n ymuno'n bersonol yn yr hyfforddi, a bydda i'n efelychu llawer o hyn nawr pan fydda i'n dysgu. Oedd, roedd Joe Jordan yn dda iawn i fi ac roedd y pedair blynedd y bues i gyda'r clwb wedi ymestyn fy ngyrfa bêl-droed heb os nac oni bai.

Er hynny, ac er fy mod ar y pryd yn chwarae fy mhêl-droed gorau ar lefel ryngwladol, tra oeddwn i ym Mryste y chwaraeais i rai o'm gêmau gwaetha ar lefel clwb achos roeddwn i'n feddw gachu drwy'r amser. Tua'r adeg yma mae'n siŵr bod fy yfed, ar lefel gymdeithasol, yn waeth nag erioed achos, o edrych 'nôl, mae'n debyg bod gan Bristol City un o'r carfanau yfed mwya i fi fod yn rhan ohoni yn fy myw. Ac roedd hynny'n fy siwtio i wrth gwrs. Er gwaetha'r yfed roeddwn i'n dal yn frwd iawn dros hyfforddi bob dydd. Nid y pêl-droed ei hun oedd y broblem fel y cyfryw: pêl-droed oedd yn fy ngalluogi i yfed trwy roi'r amser a'r amodau cymdeithasol i fi wneud hynny. O edrych 'nôl dros rai o'r pethau dwi wedi'u gwneud yn ystod fy mywyd mae'n debyg mod i wedi bod yn lwcus iawn i ddod trwyddyn nhw. Ond bydda i'n gofyn i fi fy hun weithiau ai lwc oedd hi ynteu fi oedd yn gyfrifol am sut mae pethau wedi troi mas? Roeddwn i'n lwcus bod gyda fi allu, ond a lwyddodd y gallu hwnnw i ddatblygu a disgleirio oherwydd fi a 'nghymeriad i? Erbyn hyn mae gan chwaraewyr ifanc fwy o gefnogaeth i'w rhoi nhw ar ben ffordd ond yn ystod fy nghyfnod i fel chwaraewr doedd dim shwt beth yn bod. Roeddech chi ar eich pen eich hun i bob pwrpas. Ond dyna ni, fel'na mae. Fe ddes i drwyddi ond doedd pawb ddim mor lwcus â fi.

Un o'r rheini oedd bachan o'r enw Alan Davies oedd yn arfer chwarae dros Gymru. Roeddwn i wedi chwarae wrth ochr Alan yn Bradford ac roedd y ddau ohonon ni'n tynnu ymlaen yn iawn. Ta beth, un diwrnod ddechrau mis Chwefror 1992, dydd Iau oedd hi, dyma fe'n fy ffonio ac yn gofyn a allen ni gwrdd er mwyn cael sgwrs. Felly, cwrddon ni yn y Chepstow Hotel ac yfon ni nes ein bod ni'n feddw gachu dwll. Swm a sylwedd y sgwrs rhyngon ni oedd sut roedd ei yrfa bêl-droed wedi mynd ar i lawr. Roedd Alan wedi chwarae dros Manchester United yn ei ddydd ac wedi'u cynrychioli nhw yn y Cup Final, ond bellach roedd e'n chwarae i Abertawe ac roedd e'n ffaelu'n deg ag ymdopi â hynny. Wnes i ddim rhoi llawer o gydymdeimlad iddo fe os dwi'n onest ac, yn y bôn, dywedais i wrtho am fwrw iddi a derbyn y peth. Wedyn, ar y dydd Sadwrn, fe yrrodd e bob cam i Brighton i wylio Manchester United yn chwarae yno. Ar y dydd Sul lladdodd e ei hunan. Fe deimlais y peth i'r byw am ei fod e wedi dod ata i am help. A'r cwbl y gallwn i ei wneud oedd cysuro fy hun â'r ffaith ei fod e eisoes wedi penderfynu beth roedd e'n mynd i'w wneud. Roedd e wedi archebu ei docyn i weld Manchester United am y tro ola un ac roedd arno eisiau dod i weld ei ffrind. Dyna sut y gwnes i fy nghysuro fy hun achos dwi ddim yn credu y byddai dim byd oedd gyda fi i'w ddweud wrtho wedi llwyddo i roi stop ar bethau. Roedd yn drasig. Cyn ei angladd es i'w weld e yn y parlwr angladdau a phan welais i fe'n gorwedd yno roedd golwg heddychlon ar ei wyneb. Ac roeddwn i'n teimlo bod yn rhaid i fi ddweud 'sori'. Doeddwn i ddim yn siŵr a oedd e wedi dod ata i am help ond roeddwn i'n teimlo rhyw reidrwydd i ddweud 'sori'. Mae honno'n stori sy'n rhan ohono' i, yn rhan o'm stori innau hefyd.

Ar y pryd roeddwn i'n byw yn Langstone ar gyrion Casnewydd. Roeddwn i'n dal i fod yn briod â Maggie, fy ngwraig gynta, ac roeddwn i'n dal i fyw dan yr un to â hi er fy mod i'n gweld Penny, fy ngwraig bresennol, erbyn hynny. Bues i'n briod â Maggie am ddwy flynedd ar bymtheg cyn i bopeth ddod i ben rhyngon ni. Roedd byw yn Langstone yn golygu mod i'n gallu ymweld â'm mam ryw ddwywaith neu dair bob wythnos yn y fflat roeddwn i wedi'i phrynu iddi yng Nghasnewydd. Roedd hi wastad wedi dilyn pêl-droed yn frwd. Fel dwi eisoes wedi sôn, digon bregus oedd ei hiechyd yn y cyfnod yma ond, er gwaetha hyn, aeth yn ei blaen am rai blynyddoedd eto. Cafodd hi fywyd caled. Bu'n gweithio mewn ffatri gwneud hoelion am 20 mlynedd yng nghanol yr holl lwch oedd yno ar y pryd. Bu'n smygu'n drwm a bu'n yfed yn drwm gyda 'nhad, a phan rowch chi hynny i gyd gyda'i gilydd yr hyn sy gyda chi yw corff a chwalodd pan oedd hi tua 65 mlwydd oed. Cyn y diwedd bu'n byw hefyd gydag un o'm chwiorydd ond yn ddiweddarach penderfynwyd ei rhoi hi i fyw mewn fflat â chymorth warden wrth law am fod angen llawer mwy o sylw arni nag y gallai'r teulu ei roi iddi ac, ar ben hynny, roedd fy chwiorydd yn dechrau cael plant erbyn hynny. Felly, gwerthon ni'r fflat roeddwn i wedi'i phrynu iddi a'i symud i fyw i rywle lle câi help warden yn ôl yr angen.

Tra oeddwn i gyda Bristol City daeth Russell Osman yn rheolwr. Roeddwn i wedi chwarae wrth ochr Russell ond wnes i erioed gyd-dynnu ag e fel y cyfryw. Rheolwr Dinas Caerdydd ar y pryd oedd Eddie May ac roeddwn i'n nabod Eddie o'i gyfnod yn Charlton, a chyfnod digon llewyrchus oedd hwnnw fel mae'n digwydd bod. Erbyn hyn roedd Caerdydd yn mynd trwy ychydig bach o adfywiad, a hynny ar ôl sawl blwyddyn ddigon tila. Ta beth, roedden ni wedi bod mewn cysylltiad â'n gilydd ers cwpwl o fisoedd a rhwng y ddau ohonon ni fe lwyddon ni i daro bargen er mwyn i fi ymuno ag e yng Nghaerdydd.

Roedd Bristol City'n gofyn am £50,000 i adael i fi fynd, sydd ddim yn arian mawr y dyddiau hyn ond rhaid cofio fy mod i'n 34 neu 35 mlwydd oed ar y pryd. Felly, roeddwn i'n gorfod gweithio pethau fel bod Bryste'n gadael i fi fynd am ddim achos bod Caerdydd eisiau talu cyflog parchus i fi ond doedd gyda nhw mo'r £50,000 ar ben hynny. Roeddwn i eisiau dod i chwarae dros Gaerdydd achos, ymhlith pethau eraill, roedd yn golygu dod adre i Gymru go iawn, i chwarae ac i fyw. Wel, a thorri stori hir yn fyr, yn y diwedd fe lwyddais i gael fy nhrosglwyddo am ddim gan

Bristol City trwy ddala'r prif sgowt lan yn erbyn wal a bygwth pwnio'i enaid e mas. Jest cyn hyn roeddwn i wedi cwympo mas gyda Russell Osman yn hollol fwriadol. Un diwrnod es i'w weld e. Roedd gan y tîm wrth gefn gêm oddi cartre yn Norwich a doeddwn i ddim yn rhy awyddus i deithio'r holl ffordd i fan'ny ar brynhawn dydd Mawrth. Wedi'r cwbl roeddwn i'n chwaraewr rhyngwladol ac roeddwn i wedi chwarae cannoedd o gêmau clwb. Felly, fe ddywedais i wrtho nad oeddwn i am fynd.

'Dim problem, Aize. Dwi'n deall. Dim problem,' meddai hwnnw.

Yn fuan wedyn roedd y garfan genedlaethol yn cyfarfod ar gyfer gêm a gwnaeth Russell Osman a'r prif sgowt, Tony Fawthrop, eu gorau i drio fy nhynnu i mas o'r garfan am nad oeddwn i wedi teithio i Norwich. Felly, fe welais i hyn fel cyfle i weithio fy ffordd o'r clwb. A dyma fi'n wynebu Russell Osman, a oedd yn gachwr llwyr, a rhedodd hwnnw 'nôl i'w swyddfa gan adael y prif sgowt a minnau yn y coridor o flaen y chwaraewyr eraill. Ac yn y bôn yr hyn wnes i oedd ei godi yn erbyn y wal a dweud, 'Os gwnei di drio difetha fy ngyrfa ryngwladol i ac os na wnei di adael i fi symud am ddim i Gaerdydd, fe ladda i di. Fe wna i dy fwrw di'n anymwybodol fan hyn, o flaen pawb. Ti'n deall?'

Drannoeth ces i lythyr yn dweud mod i'n cael mynd am ddim. A'r diwrnod ar ôl hynny, ymunais i â Chaerdydd. Felly, ambell waith yn y busnes pêl-droed 'ma mae'n rhaid i ddyn fynd ati ei hun i wneud yn siŵr bod rhai pethau o bwys yn digwydd. Erbyn heddiw, yr hyn y byddai chwaraewr yn ei wneud yw siarad â'i asiant a byddai'r asiant yn gwneud popeth drosto fe ond, yn y dyddiau hynny, oni bai eich bod chi'n chwaraewr mawr, amlwg, chi oedd yn gorfod gwneud popeth.

Dod adref i Gymru 1994

FELLY, CYRHAEDDAIS i Gaerdydd. Os ydw i'n onest, ches i mo'r amser gorau yno o ran y chwarae, a hynny oherwydd yr yfed a gwahanol bethau. Yr adeg yma hefyd roedd Terry Yorath wedi cael y sac fel rheolwr Cymru, neu yn hytrach wnaethon nhw ddim adnewyddu ei gytundeb, ac roedd Mike Smith wedi cymryd drosodd. Roeddwn i heb chwarae dros Gymru am ryw ddeuddeg mis ac erbyn hyn roedd Mike Smith yn hen ddyn i bob pwrpas, ond dwi'n gallu'i gofio fe'n hyfforddwr mawr, un o'r goreuon yn Ewrop gyfan pan oedd e yn ei anterth, ac roedd gyda fi lawer o barch ato. A diolch iddo fe, ces i 'ngalw 'nôl i'r garfan ar gyfer y gêm yn erbyn Georgia yn Tbilisi i geisio am le yn rowndiau terfynol Pencampwriaeth Ewrop. Felly, mas â fi i Tbilisi gyda'r lleill a phan gyhoeddodd e'r tîm roeddwn i'n syfrdan. Fi oedd chwaraewr rhif 17! Doeddwn i ddim hyd yn oed ar y fainc! Nid crwt oeddwn i a doeddwn i ddim wedi mynd yno er mwyn magu profiad. A bu'n rhaid i fi eistedd a gwylio'r gêm heb hyd yn oed newid. Fel y gallwch chi ddychmygu, roeddwn i'n uffernol o siomedig ond ddywedais i ddim byd achos roedd gyda fi lot o barch at Mike Smith a chafodd Cymru ei churo'n rhacs 5–0. A dwi'n cofio dod o'r stadiwm a gweld rhai o'r ffans yn chwarae'r diawl gyda Mike ond roeddwn i'n teimlo 'bach yn flin drosto fe, felly wnes i ddim ychwanegu at y cachu.

Arhosodd Mike wrth y llyw ac yn y cyfamser roeddwn i'n dal i chwarae dros Gaerdydd. Yna dechreuodd sibrydion bod Terry

1974–75, ysgolion Casnewydd v ysgolion Abertawe ym Mharc Somerton. Fi sy'n dala'r darian. Peter Nicholas yw'r bachgen ar y dde a Jeremy Charles yw'r crwt sy'n gwisgo crys gwyn.

Finnau'n gapten yn Ysgol Gynradd Alway ar ôl ennill Pencampwriaeth Ysgolion Casnewydd.

Ar fy mhen-blwydd yn 14 oed yn arwyddo i chwarae fel bachgen ysgol dros Gasnewydd ac ennill £5 yr wythnos. Gyda fi mae Jimmy Scoular (chwith) a 'nhad.

Yn 16 oed yng nghlwb Casnewydd.

Yn 18 oed ar ôl symud i Luton Town.

Charlton yn dathlu dyrchafiad i'r Adran Gynta ar ôl curo Caerliwelydd 2–3. Fi sgoriodd y gôl fuddugol.

Dathlu dyrchafiad Charlton i'r Adran Gynta.

Yn ystod blwyddyn dyrchafiad gyda Luton Town.

Finne a Bryan (Pop) Robson, Charlton v Chelsea.

Cefnogwyr Luton Town yn llifo ar y cae ar ôl ennill y Bencampwriaeth yng nghyfnod David Pleat.

Rl-edeg o gwmpas y trac yng nghlwb Casnewydd.

Y tymor yr ymunais â Luton Town.

Rhes gefn: 3ydd o'r chwith Brian Stein, 4ydd David Moss. *Rhes ganol:* Finne ar y chwith, 6ed o'r chwith Paul Price, 7fed Mal Donaghy.
Rhes flaen: 4ydd o'r chwith Bob Hatton, 5ed David Pleat, 6ed Ricky Hill.

Penio'r gôl fuddugol, Luton v Sheffield Wednesday.

Derbyn
triniaeth am
anaf tra yn
Luton Town.

Fi a Ray Wilkins yn
hyfforddi yn Luton Town.

They're back!

Charlton return to First Division after 29 years

by Michael Hart

AFTER 29 years in exile, Charlton are back in the First Division.

Barring a mathematical calamity, the club which was wound up by the High Court two years ago, will next season be playing the likes of Liverpool, Everton, Arsenal and Spurs.

Some would say Charlton are still in exile after leaving their Valley home in September to move in as lodgers with Crystal Palace.

But don't tell that to the

DIV 2—TOP 4

	P	W	D	L	F	A	Pts
Norwich	41	24	9	8	80	37	81
CHRLTN	40	21	10	9	75	43	73
WMBLDN	39	20	11	8	56	36	71
Portsmth	41	21	7	13	65	41	70

Even Alan Ball has given up the ghost.

□ NORTH LONDONERS Enfield have triumphed too. They clinched the Gola League title with a 1—0 win over last season's champions, Wealdstone, last night. Carl Richards scored the

Toriad papur newydd am ddyrchafiad.

Yn yr ystafell wisgo yng Nghaerllwelydd ar ôl i Charlton ennill dyrchafiad i'r Adran Gynta a finne wedi sgorio'r gôl fuddugol.

Tîm Charlton yn yr ystafell wisgo yng Nghaerliwelydd.

Tîm Charlton yn yr ystafell wisgo yng Nghaerliwelydd.

Sgorio'r gôl fuddugol yng Nghaerliwelydd.

Yn falch o gael chwarae dros Gymru. *(Llun: mediawales)*

Derbyn cwpan Chwaraewr y Flwyddyn oddi wrth Derek Ufton yn Charlton.

Derbyn fy ngradd ym Mhrifysgol
Casnewydd, Caerllion, yn 2008.

Yorath, oedd wedi gadael job rheolwr Cymru, yn rhan o gonsortiwm i gymryd drosodd yng Nghaerdydd. Nawr roedd pawb yn gwybod fod Terry a fi'n ffrindiau a phan ddes i adre o gêm Georgia dechreuodd pobl, gan gynnwys Eddie May, ragdybio ambell beth a phan gyrhaeddais i Gaerdydd dyma Eddie May yn fy ngalw i'w swyddfa a dechrau gweiddi a bytheirio.

'Dwyt ti ddim yn eistedd yn fy ffycin sêt i 'to' . . . bla, bla, bla.

'Eddie, beth ddiawl ti'n sôn amdano?' meddwn innau.

'Fi'n gwbod fod dy ffrind, Yorath, yn dod fan hyn' . . . bla, bla, bla.

Er fy mod i wedi siarad â Terry ac er fy mod i'n ymwybodol ei fod e'n rhan o gonsortiwm i ddod i Gaerdydd, roedd hyn i gyd yn dipyn o syndod i fi. Ta beth, rhwng Tachwedd 1994 a Rhagfyr 1994 fe ddaeth Terry Yorath i'r clwb a chymryd drosodd, a chafodd Eddie May fynd. A phan ddechreuodd Terry fel rheolwr, gofynnodd e i fi ei helpu, felly mae'n ddigon posib bod Eddie May yn gwybod rhywbeth nad oeddwn innau'n ei wybod ar y pryd.

Penderfynais i ei helpu fel rheolwr cynorthwyol tra oeddwn i'n dal i chwarae i Gaerdydd. Yn fuan wedyn cawson ni gêm Ewropeaidd arall a doeddwn i ddim yn disgwyl bod yn rhan ohoni a bod yn onest, ond fe ges i fy nghynnwys yn y garfan i chwarae yn erbyn Bwlgaria ym Mharc yr Arfau – hyn i gyd o fewn cyfnod o fis! Ond roeddwn i wedi straenio 'nghoes, croth y goes, a dylwn i fod wedi tynnu mas o'r garfan ond roeddwn i bron â marw eisiau mynd i'r gêm ola yma ym Mharc yr Arfau, lle roedd popeth wedi dechrau go iawn i fi yn erbyn yr Almaen, a chyhoeddi ar ei diwedd hi fy mod i'n ymddeol o bêl-droed rhyngwladol. Dyna oedd y cynllun. Ac er fy mod i wedi straenio 'nghoes, roeddwn i'n meddwl taw'r cyfan y byddai'n rhaid i fi ei wneud fyddai ymuno â'r garfan a fyddai dim rhaid i fi chwarae achos y tro diwetha yn Tbilisi rhif 17 oeddwn i. Ond pan gyhoeddodd Mike Smith y tîm roeddwn i wedi cael fy newis i chwarae a dylwn i fod wedi dweud wrtho fe fod anaf arna i ond oherwydd bod gen i barch ato ac oherwydd yr holl gachu gafodd e ar ôl gêm Georgia, roeddwn i am ei helpu. Felly dechreuais i'r gêm gydag anaf ac ar ôl rhyw ddeg munud roeddwn i'n ffaelu rhedeg. Dyna pryd yr ildiais i gôl wirion. Felly, roedd gyda fi benderfyniad anferth i'w wneud nawr. Taswn i'n penderfynu gadael y cae oherwydd fy anaf byddai pobl yn meddwl mod i'n gwneud hynny achos busnes y gôl. Bydden nhw'n meddwl fy mod i'n gachwr. Felly, yn gam neu'n gymwys, penderfynais i aros ar y cae er fy mod i mewn poen ddifrifol. Roedd pob cam yn arteithiol ac roedd gyda fi ryw wyth deg munud ar ôl i'w chwarae mewn gêm ryngwladol! A dyma'r unig dro erioed i fi ddweud y gwir am beth ddigwyddodd yn ystod y gêm honno. Dwi wedi eistedd mewn tafarnau ers hynny a dwi wedi gorfod gwrando ar bobl y BBC yn tynnu'r pìs am y ffordd nad oeddwn i'n gallu rhedeg y diwrnod hwnnw, ond derbyniais i'r holl feirniadaeth a soniais i'r un gair wrthyn nhw mod i mewn poen ddifrifol. Ta beth, llwyddais i gyrraedd diwedd y gêm a chyhoeddi mod i'n rhoi'r gorau i chwarae'n rhyngwladol ond nid yn y ffordd roeddwn i eisiau gwneud hynny. Cyhoeddais i fy ymddeoliad ar ôl chwarae fy ngêm waetha erioed dros Gymru. A doedd gyda fe ddim byd i'w wneud â'r yfed nac ychwaith fy oedran na fy ffitrwydd, ond yn hytrach, am fy mod i'n ddigon twp i ddechrau gêm a minnau wedi tynnu cyhyr croth fy nghoes.

Felly, es i 'nôl i glwb Caerdydd a minnau wedi cyhoeddi fy ymddeoliad, a'r hyn ddaeth yn amlwg dros y mis nesa oedd bod y consortiwm oedd wedi rhoi job y rheolwr i Terry Yorath yn cael trafferth dod o hyd i'r cyllid. Treuliai Yorath lai a llai o amser yn y clwb pêl-droed gan adael pethau i fi. Roeddwn i fwy neu lai'n rhedeg y tîm bellach am fod Terry wedi sylweddoli nad oedd dim byd yn mynd i ddod o hyn ac roedd e'n aros yn Leeds. Mater o amser oedd hi bellach cyn i'r consortiwm dynnu mas a gadawodd

Terry Yorath. Roeddwn i wrth gwrs yn dal i fod yng Nghaerdydd ac un diwrnod daeth Rick Wright 'nôl gan taw fe oedd perchennog y clwb o hyd ar ôl i holl fusnes y gwerthu fethu'n yfflon rhacs. Dyna lle roedden ni yn y stafell newid pan gyhoeddodd e ei fod e wedi penodi rheolwr newydd a phwy ddaeth i mewn trwy'r drws – neb llai nag Eddie May! Roeddwn i mewn sefyllfa nawr lle roedd Eddie'n meddwl bod gyda fi ran yn y cyfan a doedd hynny jest ddim yn wir, ond roeddwn i'n gorfod byw gydag e a gweithio gydag e o ddydd i ddydd.

Roedd gyda fi ryw chwe mis ar ôl ar fy nghytundeb a phenderfynais i taw'r unig beth y gallwn i ei wneud tan hynny, felly, oedd cadw mas o drwbwl a chadw 'nwylo'n lân, ond roedd Eddie'n gymeriad oedd yn eitha parod am wrthdaro ac roedd e'n benderfynol o wneud pethau'n anodd i fi. Roeddwn i'n dal i ddioddef o'r anaf ar fy nghoes a dwi'n cofio Jimmy Goodfellow, oedd yno am flynyddoedd lawer, yn dweud wrth Eddie,

'Pam 'set ti'n gwneud cymwynas â ti dy hun ac Aize? Smo ti'n mynd i' ddewis e i chwarae, felly pam na 'wedi di wrtho fe am beidio â dod miwn? Wedyn fydd 'da ti ddim problem a fydd dim problem 'da Aize chwaith.'

A dyna ddigwyddodd. Roedd hi'n sefyllfa o wrthdaro ac roeddwn i'n berson oedd yn ymateb i wrthdaro os oedd rhaid. Tasai fe'n fy mhryfocio i byddwn innau'n talu'r pwyth yn ôl, ac yn y blaen. A dyw sefyllfa fel'na ddim yn iawn. Felly, fe wnaethon ni daro bargen oedd yn golygu fy mod i'n cael aros i ffwrdd o'r clwb gan fynd i mewn unwaith yr wythnos i gasglu fy nghyflog. Digwyddodd hynny am chwe mis ac ar ddiwedd y tymor hwnnw ces i symud o Gaerdydd am ddim gan Eddie May.

Ond yn ystod y misoedd cyn gadael Caerdydd fe wnes i benderfyniad a fyddai, i raddau helaeth, yn newid fy mywyd maes o law: fe benderfynais i ddysgu Cymraeg. Eto i gyd, fe ddigwyddodd y cyfan ar hap a damwain braidd, fel sy'n digwydd yn aml gyda phethau o bwys mewn bywyd. Roedd gêm gyda ni yn erbyn Bristol Rovers yn Twerton Park ac roeddwn i wedi mynd lan llofft i eistedd yn y lolfa yno. Yno hefyd roedd y sylwebydd pêl-droed, Ian Gwyn Hughes. A dwi'n cofio Ian yn gofyn i fi,

'Be' ti'n mynd i' neud ar ôl gorffen, Aize?'

Ar y pryd roeddwn i yng nghanol fy nhridegau, a dywedais i yn Saesneg,

'Sa' i'n gwbod, Ian.'

'Pam 'set ti'n mynd ati i ddysgu Cymraeg?' awgrymodd e.

Wel, mae'n rhaid i fi gyfadde, roeddwn i'n meddwl ei fod e'n syniad twp. Ta beth, ychydig ddyddiau'n ddiweddarach, roedd gêm Cwpan Cymru gyda ni yng Nglyn Ebwy (oedd, roedd Caerdydd yn rhan o Gwpan Cymru yr adeg honno) ac fe ges i gwt cas iawn ar fy nghoes oedd yn golygu y byddwn i mas am oddeutu deuddeg wythnos. Roeddwn i'n ffaelu gwneud dim achos bod twll eitha mawr gyda fi yn fy nghoes. Roedd e'n anaf difrifol a doedd dim modd ei drin e, dim ond gadael iddo wella o'i ran ei hunan. Felly dyma fi'n gofyn i fi fy hun beth ddiawl oeddwn i'n mynd i'w wneud am dri mis. Dyna pryd y penderfynais i ymrestru ar gwrs Cymraeg. Roedd e'n gyd-ddigwyddiad llwyr achos taswn i heb gael fy anafu fyddwn i ddim wedi ystyried dysgu Cymraeg. Oni bai am y ffyn baglau ac Ian Gwyn Hughes yn plannu'r syniad yn fy mhen fyddai fe ddim wedi digwydd!

Clywais i fod cwrs yn rhedeg ym Mhrifysgol Caerdydd gan ddechrau am hanner awr wedi wyth y bore – cwrs Wlpan. Felly, bant â fi ar fy ffyn baglau a hercian trwy'r drws er mwyn ymuno â'r dosbarth Cymraeg. Roedd rhyw ddeg o bobl eraill yn y grŵp ac roedd y rhan fwya ohonyn nhw siŵr o fod wedi 'ngweld i'n chwarae pêl-droed ar y teledu rywbryd neu'i gilydd. Cwrs ar gyfer dechreuwyr oedd hwn ond pan es i mewn i'r stafell cyn i'r tiwtor gyrraedd, roedd yr holl bobl 'ma'n siarad â'i gilydd yn Gymraeg. A dyma fi'n meddwl i fi fy hun, 'Wancyrs!' Cwrs dechreuwyr myn uffarn i! Roeddwn i wedi dod trwy'r system addysg yng Nghasnewydd lle nad oedd unrhyw Gymraeg o gwbl ac felly doeddwn i ddim yn gwybod yr un gair o'r iaith. A dyma fi'n meddwl, 'Beth ddiawl dwi'n mynd i' neud fan hyn?' Wel, dwi ddim yn gwybod pam yn union ac mae'n bosib iawn taw elfen gystadleuol y byd pêl-droed sy'n gyfrifol amdano, ond dechreuais i feddwl, 'Fe ddangosa i i'r diawliaid 'ma!'

Dros yr wythnosau canlynol byddwn i'n gadael y dosbarth tua hanner awr wedi deg y bore ar ôl dwyawr o wers, byddwn i'n picio draw wedyn i glwb pêl-droed Dinas Caerdydd cyn mynd adre â llwyth o waith cartre Cymraeg. Ac am y pedwar neu bum mis nesa byddwn i'n gwneud rhyw saith awr o Gymraeg bob dydd er mwyn bod y gorau yn y dosbarth. Pan ddaeth y cwrs i ben, dim ond fi a dau arall oedd ar ôl yn y dosbarth. Beth felly oedd y cam nesa gan fod y cwrs wedi gorffen bellach? Ac fe gwrddais i â dyn hyfryd o'r enw John Albert Evans oedd yn digwydd bod yn un o gefnogwyr tîm pêl-droed Caerdydd, a dechreuais i gael gwersi preifat gyda fe unwaith yr wythnos. Ond roedd yr hyn wnaeth e'n eitha clyfar achos fe seiliodd e'r gwersi i gyd ar chwaraeon a phêl-droed. Dywedais i wrtho fe o'r dechrau'n deg nad oeddwn i'n arbennig o awyddus i ddysgu sut i ysgrifennu'r iaith, dim ond ei siarad. A dyna wnaethon ni. Ta beth, ar ôl rhyw ddeunaw mis o ddysgu'r iaith, rhwng y cwrs a'r gwersi preifat, doeddwn i ddim yn cael llawer iawn o gyfle i'w hymarfer, ac un diwrnod fe ddaeth John Albert ata i a gofyn i fi a hoffwn i roi fy enw i lawr ar gyfer cystadleuaeth Dysgwr y Flwyddyn. Nawr, roeddwn i'n hoff iawn o John Albert, felly fe gytunais i. Roeddwn i'n gwybod fod 'na rowndiau rhanbarthol ac yn y blaen a doeddwn i ddim yn meddwl y byddwn i'n mynd yn bell iawn. Ta beth, cyn i fi gael amser i gael fy ngwynt ata i roedd e wedi rhoi fy enw i lawr ar gyfer cymal Caerdydd a'r Fro. Es i drwy hwnnw a'r cymal nesa, ac yn sydyn reit dyma fi'n cyrraedd y coleg 'ma yn Llandrindod gyda phump o gystadleuwyr eraill a noson fawr wedi'i threfnu ar ein cyfer. Hon oedd y rownd derfynol! A dyma fi'n meddwl, 'Iesu annwyl!' Ac mae'n rhaid i fi fod yn onest a chyfaddef nad oedd fy Nghymraeg yn wych iawn ond roeddwn i'n gyn-chwaraewr pêl-droed rhyngwladol ac roedd hyn i gyd yn dod â sylw da i'r iaith. A wnes i ddim fy nhwyllo fy hun ar y pryd taw un o'r rhesymau roeddwn i wedi mynd mor bell, siŵr o fod, oedd achos bod hyn yn siwtio cystadleuaeth Dysgwr y Flwyddyn hefyd achos roeddwn i'n cael llwythi o gyhoeddusrwydd.

Boed hynny fel y bo, ond roeddwn i wedi cyrraedd y rownd derfynol a doedd dim troi nôl. A heb os nac oni bai, y peth mwya brawychus dwi erioed wedi'i wynebu yn yr iaith Gymraeg oedd mynd ar y llwyfan hwnnw gyda'r pum cystadleuydd arall yn Llandrindod y noson honno. A'r hyn roedd yn rhaid i ni ei wneud oedd mynd ar y llwyfan a siarad yn Gymraeg am ugain munud o flaen cant a hanner o bobl oedd newydd gael eu bwyd! Doeddwn i ddim wedi sylweddoli hyn ar y pryd achos doeddwn i ddim wedi talu llawer o sylw a bod yn onest. Yno hefyd roedd John Albert a'i deulu gan taw fi oedd ei fyfyriwr. Felly, aeth y pump arall oedd o 'mlaen i ac roedden nhw'n cael darllen o sgript os oedden nhw eisiau. Nawr, doeddwn i ddim yn gwybod ein bod ni'n cael gwneud hynny. A dyna lle roeddwn i'n eistedd ar y llwyfan yn gwrando ar hyn i gyd ac roeddwn i'n cachu'n hunan! Beth ffwc roeddwn i'n mynd i'w wneud? Yn sydyn, fe wnes i daro ar yr union beth! Penderfynais i yn y fan a'r lle roi anerchiad, y math o beth mae rhywun yn ei glywed ar ôl ciniawau neu mewn cylchoedd cinio, am bêl-droed yn hytrach na siarad am Gymru. A chodais i ar fy nhraed a siaradais i am dri chwarter awr yn y diwedd gan ddweud jôcs a hyn a'r llall ac arall. Dywedais i un am

Vinnie Jones yn dysgu Cymraeg ac roedd pawb yn y neuadd yn chwerthin nes eu bod nhw'n wan! Ar ôl hynny roedd 'na sesiwn holi ac ateb ar y llwyfan a Gog oedd y boi oedd yn gofyn y cwestiynau. Wel, roeddwn i'n ffaelu deall gair roedd e'n ei ddweud a minnau'n gorfod gofyn drwy'r amser i'r fenyw 'ma oedd yn eistedd ar fy mhwys i, 'Beth yw ystyr hwnna?' Ar ôl iddi egluro roeddwn i'n gallu ateb wedyn. Chwarae teg iddi, dwi ddim yn gwybod pwy yw hi hyd y dydd heddiw, ond fe helpodd hi fi a dwi'n ddiolchgar iddi. Sbel ar ôl hynny, fe ges i 'nghoroni'n Ddysgwr y Flwyddyn 1996 ar lwyfan yr Eisteddfod, yn y Pafiliwn ei hun, ond doedd dim tamaid o ofn arna i bryd hynny. Roedd y gwaith caled drosodd.

Wedyn, o ganlyniad i ddysgu Cymraeg ac achos mod i bellach yn gallu siarad yr iaith, dyma'r BBC yn cynnig llwythi o waith i fi yn *Saesneg* am ryw reswm. Bydden nhw'n dod ar fy ôl i fisoedd ymlaen llaw a gofyn i fi weithio iddyn nhw drwy gyfrwng y Saesneg. Felly, fe weithiodd pethau'n dda i fi mewn ffordd rowndabowt!

Ond gadewch inni fynd 'nôl i 1995. Wrth i'r bennod adeiladol yma yn fy mywyd fynd yn ei blaen roedd pethau eraill, llai adeiladol, wedi bod yn digwydd i fi yn y byd pêl-droed. Fel y soniais i, ces i adael clwb Caerdydd am ddim. Wedyn ces i gynigion i barhau i chwarae yn y Cynghrair ond, a minnau bellach yn tynnu am 36 blwydd oed, doeddwn i ddim yn rhy awyddus i galifanto o gwmpas y wlad, a phenderfynais i roi'r gorau iddi.

Dyna pryd y daeth Merthyr Tudful ar fy ôl. Roedd Merthyr wedi gweld dyddiau gwell ond roedden nhw eisiau fy arwyddo, a chwarae teg iddyn nhw, fe gynigion nhw fwy neu lai'r un arian i fi am bêl-droed rhan amser ag roeddwn i'n ei ennill yng Nghaerdydd. Felly bant â fi i Ferthyr Tudful, ond wnaeth e ddim para'n hir achos ar ôl rhyw chwe gêm gyda nhw dyma John

Reddy, cadeirydd y clwb, yn penderfynu rhoi'r sac i fi fel chwaraewr. Ond, yn hanesyddol, dwi'n credu eu bod nhw wedi gwneud y math yna o beth o'r blaen – arwyddo chwaraewyr er mwyn rhoi hwb i faint y dorf. Fel cyn-chwaraewr rhyngwladol roeddwn i'n eitha deniadol iddyn nhw, mae'n debyg. Ces i fy arwyddo fel chwaraewr-hyfforddwr ac roeddwn i'n awyddus i roi cychwyn ar fy ngyrfa fel hyfforddwr. Fel y soniais i'n barod, roeddwn i wedi treulio blynyddoedd yn astudio gwahanol agweddau o'r gêm, nid jest y chwarae ond yr ochr dechnegol hefyd. Roedd hyn yn rhywbeth roeddwn i'n gorfod ei wneud er mwyn gwneud yn iawn am ddiffygion eraill yno' i, ac felly roedd symud ymlaen i'r byd hyfforddi'n ddatblygiad hollol naturiol ac roedd e'n rhywbeth oedd wastad ar fy meddwl. Es i am fy mathodyn hyfforddi cynta tra'n dal i chwarae dros Gymru. Dwi'n cofio'r achlysur yn iawn. Roedd gyda ni gêm oddi cartre yn erbyn Sweden a chyn mynd bu'n rhaid i fi yrru i Swindon ar gyfer cwrs hyfforddi, a chwarae teg i Terry Yorath, gadawodd e i fi gael amser bant o ymarfer ar gyfer y gêm honno er mwyn gallu cwblhau fy mathodyn hyfforddi cynta. Felly, erbyn ymuno â Merthyr Tudful, roedd dau neu dri bathodyn gyda fi'n barod ac roeddwn i'n ysu am y cyfle i roi popeth roeddwn i wedi'i ddysgu dros y blynyddoedd ar waith. Rhaid cofio erbyn hyn hefyd mod i wedi gweithio dan sawl rheolwr gan gymryd ychydig o'r da ac ychydig o'r drwg oddi wrth bob un ohonyn nhw mae'n debyg.

Ta beth, ar ôl i John Reddy roi'r sac i fi cymerodd hi ddwy flynedd a lot o ddadlau cyfreithiol i gael gafael ar y £42,000 oedd arnyn nhw i fi. Hyd y dydd heddiw mae cefnogwyr Merthyr yn fy nghasáu i ond fel y triais i egluro wrthyn nhw, roedd hwn yn gontract cyfreithiol ac roedd perffaith hawl gyda fi achos fe wnaethon nhw drio rhoi'r sac i fi'n anghyfreithlon. Dyna beth oedd profiad a hanner. Ond fe ofalodd y PFA am hynny i fi ac roedden nhw'n wych.

Cwmbrân 1997

a blynyddoedd prysur

O FERTHYR ES I ABERYSTWYTH ac o Aber i Gasnewydd am gyfnod byr ac oddi yno i Gwmbrân lle ces i lwyddiant mawr a lle dysgais i gymaint fel chwaraewr-hyfforddwr, diolch i gawr o ddyn, sef Tony Wilcox. Dechreuais i weithio gyda Tony – a dwi ddim yn credu y byddai fe'n edrych i lawr arna i o lan fan'na ac anghytuno – ond doedd dim clem gyda fe am dactegau na chwaith am hyfforddi os dwi'n onest, ond dyna ichi ddyn rhagorol o safbwynt rheoli bodau dynol. Roedd wastad parch gyda fe ac roedd gyda fe ddawn i adnabod chwaraewyr y dyfodol. Doedd e ddim yn gwybod yn iawn beth i'w wneud â nhw wedyn, cofiwch, ond roedd e'n ddyn gwych, a chyfnod da iawn oedd hwn yn fy ngyrfa fel hyfforddwr. Wedi'r cwbl, roeddwn i'n dal i chwarae ac roeddwn i'n gallu cael dylanwad o hyd ar y cae, ac ar ben hynny roedden ni'n llwyddiannus fel tîm.

Dwi'n cofio Tony'n dweud wrtha i unwaith,

'Dyma beth wnawn ni am y chwe mis nesa: sdim ots beth yw'r sgôr, wedwn ni ddim byd negyddol wrth y chwaraewyr, dim ond pethe positif.'

Nawr mae hwnna'n swnio'n beth syml i'w wneud, ond credwch chi fi mae'n blydi anodd! Gyda chwaraewyr rhan-amser mae'n elfen hanfodol o'r gymysgedd sydd ei hangen. Roedd Tony'n gwybod sut i drin chwaraewyr ac fe ddysgodd e hynny i fi, a llawer o bethau eraill hefyd. Roedd e wastad yn barod ei gyngor – cyngor da – a byddai fe bob amser yn wyliadwrus drosto' i ac yn poeni amdana i achos, fel person, roedd gyda fi farn gref am bethau. Dwi'n cofio un digwyddiad yn Cwmbrân Town sy'n darlunio hyn yn berffaith. Roedd gyda ni foi o'r enw Mattie Davies yn chwarae yn y tîm ac roedd e'n eitha llwyddiannus. Ar y diwrnod arbennig yma roedd e'n digwydd bod yn chwarae'n uffernol a'r sgôr oedd 0–0 mewn gêm gartre. Ta beth, dyma'r dyn 'ma, oedd ar y pwyllgor, yn cadw i weiddi,

'Wilcox, Aizlewood, tynnwch Mattie Davies bant! Mae e'n whare'n rwtsh. Smo chi'n gwbod be' chi'n neud?'

A dwi'n cofio troi at Tony a dweud,

'Os sgoriff Mattie nawr, mae'r diawl 'na'n mynd i' chael hi!'

Beth ddigwyddodd nesa? Wel syndod a rhyfeddod, dyma Mattie'n sgorio. Felly, dyma fi'n troi at Tony unwaith eto,

'Reit, smo hwnna'n mynd i glywed ei diwedd hi!'

'Gan bwyll nawr, Aize. Gad e 'fod,' oedd ateb Tony.

Ond cerddais i ar draws y trac ac es i'n syth ato fe.

'Gwranda 'ma, gwboi. Caria di mlaen i werthu tocynne raffl i'r clwb a gad yr hyfforddi i fi!' A cherddais i nôl at Tony.

Nawr, doedd gan Tony ddim owns o ddicter yn perthyn iddo. Doedd e ddim yn lico dadlau. Ond dywedodd e,

'Ti 'di gwneud hi nawr!'

A phan aethon ni 'nôl i'r clwb ar ôl y gêm, dwi'n cofio John Collier, y cadeirydd, yn dweud wrtha i,

'Mae'n rhaid iti ymddiheuro wrth y boi 'na ar y pwyllgor.'

A daeth geiriau Tony Wilcox fel mellten,

'Nag o's ddim! Sdim angen ymddiheuro wrth neb. Fe gei di redeg y clwb ond ni sy'n rhedeg y tîm.'

Chwarae teg iddo. Dyna Tony i chi. Y tristwch yw iddo farw'n sobor o ifanc o afiechyd y galon rai blynyddoedd yn ddiweddarach. Es i'w weld e yn Ysbyty'r Brifysgol yng

Nghaerdydd a dechreuon ni hel atgofion am hwn a'r llall, a phan ddaeth hi'n amser i fi fynd gadewais i fe'n morio chwerthin. Ond drannoeth ddaeth e ddim drwy'r llawdriniaeth a bu farw yn yr ysbyty. Roedd yn dorcalonnus. Doedd e ddim hyd yn oed wedi cyrraedd ei hanner cant. Fel y dywedais i, roedd e'n gawr o ddyn ym myd pêl-droed Cymru. Wedyn, bu'n rhaid i fi wneud penderfyniad anodd. Erbyn hyn fi oedd Cyfarwyddwr Technegol yr FAW ac roeddwn i'n gorfod mynd i gynhadledd a drefnwyd gan UEFA yr un pryd ag angladd Tony. Aeth Penny i'r angladd ar fy rhan a dwi'n siŵr y byddai Tony wedi deall achos pêl-droed oedd popeth iddo. Pêl-droed oedd ei fyd e. Ac mae rhai o'r pethau dwi'n eu gwneud gyda chwaraewyr heddiw yn deillio o'r cyfnod hwnnw gyda Tony. Roedd e'n deall chwaraewyr rhan-amser. Mae'n hawdd pan fydd gyda chi safonau proffesiynol a chwaraewyr proffesiynol. Yr allwedd yw deall y safonau sy'n bosib ac sy'n gyraeddadwy, a deallodd Tony hynny i gyd a dyna ddysgodd e i fi. Roedd e'n ddyn gwych, gwych.

Tra oeddwn i yng Nghwmbrân, er fy mod i'n barod i gloriannu fy sgiliau fel hyfforddwr, mae'n debyg taw fel chwaraewr roedd fy ngwir werth i'r clwb o hyd. Chwaraeais i bob gêm ond fi wnaeth yr holl hyfforddi yn ogystal. Felly roedd hynny'n dda i fi hefyd; roedd y berthynas yn un dda. Dysgais i shwt gymaint yno a sylweddolais i ar yr un pryd pa mor anodd oedd hi i fod yn chwaraewr-hyfforddwr, hyd yn oed ar y lefel yna. Ond roedd y cyfan yn brofiad gwych.

Tua'r adeg honno hefyd roeddwn i'n awyddus i ymwneud ag ochr arall y gêm, y datblygu, a deall y broses ddatblygu achos *mae* 'na'r fath beth â phroses yn bodoli. Dyw e ddim jest yn fater o hyfforddi'r tîm. Roeddwn i eisiau deall sut i ddatbylgu system o fewn chwaraeon, felly fe wnes i gais am swydd gyda chyngor sir Rhondda Cynon Taf fel Swyddog Datblygu Pêl-droed. O gwmpas yr adeg yma roedd yr FAW wedi sefydlu'r Ymddiriedolaeth ac roedden nhw'n cyflogi swyddogion ar draws Cymru i ddatblygu'r gêm. Felly, er fy mod i'n uwch hyfforddwr, es i 'nôl fwy neu lai i'r dechrau er mwyn dysgu'r ochr ddatblygu. Gyda llaw, roeddwn i'n dal i fod gyda Chwmbrân drwy gydol hyn i gyd. Hefyd roeddwn i wedi cychwyn fy musnes fy hun bellach, yn rhedeg academïau pêl-droed mewn ardaloedd lle nad oedd unrhyw ddarpariaeth ar gyfer chwaraewyr ifanc. Fel y gallwch chi ddychmygu, roedd hyn yn gyfnod prysur iawn iawn ond roedd yn gyfnod o ddysgu i fi hefyd.

Fe sefydlon ni system ddatblygu dda iawn yn Rhondda Cynon Taf, cymaint felly fel y bu'n rhaid inni gyflogi cynorthwy-ydd llawn-amser. A dyna pryd mae dyn yn dechrau deall y broses o ddatblygu plant o oedran cynnar.

Yn cyd-redeg â hyn oll oedd y cyfryngau. Roeddwn i wedi dechrau creu tamaid bach o enw i fi fy hun fel pyndit ar y radio. Roeddwn i'n dal i chwarae dros Gwmbrân bob dydd Sadwrn ond bob nos Fawrth byddwn i'n gweithio i'r BBC, ac am fy mod i'n gweithio i'r cyngor sir roeddwn i'n ddigon ffodus i allu cymryd amser bant er mwyn teithio i rywle fel Boston er enghraifft ar brynhawn dydd Mawrth os oedd eisiau. Felly, roeddwn i'n trafaelu filltiroedd fel pyndit radio a theledu, ond nid er mwyn codi 'mhroffil. Fe wnes i hynny achos roeddwn i'n awyddus i barhau i wylio pêl-droed â llygad hyfforddwr. A'r hyn nad oedd gen i oedd yr amser i fynd i wylio gêm bêl-droed er ei mwyn ei hun. Ond os oedd rhywun yn barod i 'nhalu i fynd i gêm, roedd hynny'n ddigon o gyfiawnhad i fi! Felly, roedd y BBC yn fy nhalu i fynd i wylio pêl-droed ond roeddwn i'n gwneud hynny o safbwynt hyfforddwr yn ogystal ag o safbwynt pyndit. Gydag amser, dechreuodd pobl ddweud pethau digon neis a bod Aize yn gwybod ei stwff. Ar y pryd, Arthur Emyr oedd Pennaeth Chwaraeon BBC Cymru a gofynnodd e droeon i fi roi'r gorau i Gwmbrân a mynd i weithio'n llawn amser gyda nhw, i wneud sioeau dydd Sadwrn fel *Wales on Saturday* ac yn y blaen, ond roeddwn i'n dal i fwynhau chwarae ac yn teimlo bod gyda fi ryw werth i'w gynnig o hyd ar y cae yn ogystal â hyfforddi.

Roeddwn i'n gwneud mwy a mwy o waith pyndit, mwy a mwy o waith hyfforddi, roeddwn i'n swyddog datblygu ac erbyn hyn roeddwn i'n gweithio'n ogystal i'r FAW. Yna, fe ddechreuais i gymryd diddordeb mewn addysg hyfforddi gyda nhw. Nawr, mae hwn yn dipyn o ddiléit gen i, y busnes addysgu hyfforddwyr. Fel mae'n ei awgrymu, mae'n golygu dysgu hyfforddwyr sut yn union i hyfforddi, sy'n sgìl wahanol iawn, felly 'nôl â fi i'r dechrau, i lefel un, i ddysgu sut i addysgu. A ches i gymorth gan ffrind da i fi, Roy Thomas. Fe, yn fy marn i, yw'r addysgwr hyfforddi gorau yng Nghymru gyfan. Nid hyfforddwr mohono fe ond addysgwr hyfforddi, ac roedd e'n ffantastig. Dysgodd e bron popeth i fi o'r hyn dwi'n ei wybod am addysgu hyfforddwyr. Bellach dwi wedi cael fy achredu gan UEFA i ddysgu reit lan hyd at Drwydded Broffesiynol.

Felly, ar ôl ennill yr holl gymwysterau 'ma roeddwn i'n teimlo'n barod nawr i symud ymlaen o'r swydd gyda'r cyngor sir, a phan ddaeth swydd Cyfarwyddwr Technegol Ymddiriedolaeth yr FAW yn rhydd yn 2001 fe driais i amdani a'i chael hi. Bellach roeddwn i mewn sefyllfa i roi ffrwyth fy nysgu i gyd ar waith. Hefyd tua'r adeg yma roeddwn i wedi rhoi'r gorau i chwarae ac wedi symud i'r BBC, nid yn llawn-amser ond ar gyflog llawn-amser. Roeddwn i'n doethinebu ar *Wales on Saturday* ac ar y radio, ar gêmau rhyngwladol, gêmau Cynghrair Cymru ac yn y blaen. Ac roedd fy mhroffil yng Nghymru mor uchel ag y gallai fod. Roeddwn i'n byndit amlwg ar y teledu, fi oedd y Cyfarwyddwr Technegol â gofal am ddatblygu pêl-droed ymhlith pobl ifanc ledled Cymru yn ogystal â datblygu chwaraewyr a hyfforddwyr, ac i unrhyw un ar y tu fas roeddwn i wedi glanio ar fy nhraed. Roeddwn i wedi cyrraedd. Ond i fi, hwn oedd cyfnod gwaetha fy mywyd, heb os nac oni bai, achos yr holl bwysau a'r yfed. Ac oherwydd y math o berson ydw i, fe gadwais i hynny i gyd y tu mewn i fi am flynyddoedd, ac yn y diwedd fe ddaeth y cyfan mas fel ffrwydrad.

Y blynyddoedd anodd
2001–2004

DAETH Y SIOC gynta pan ges i swydd y Cyfarwyddwr Technegol. Roeddwn i wedi treulio blynyddoedd, nid yn breuddwydio, ond yn dyheu am y cyfle i wneud gwahaniaeth. Roeddwn i wedi mynd trwy'r holl broses, y broses hyfforddi a'r broses ddatblygu, gan weithio i'r cyngor ac yn y blaen, ac yn sydyn reit dyma fi yn y brif swydd ac yn awyddus i wneud gwahaniaeth, ond oherwydd yr holl wleidyddiaeth fewnol, roedd gwneud gwahaniaeth yn amhosib. A thros gyfnod, dyma fi'n rhoi popeth at ei gilydd a gweld taw trychineb oedd hwn i fi, trychineb oedd yn disgwyl ei dro cyn taro. Pan oeddwn i'n Gyfarwyddwr Technegol fe frasgamon ni yn ein blaenau. Mae gan UEFA banel o'r enw Jira sy'n gofalu am bob agwedd o addysg hyfforddi. Mae'r panel yn cefnogi datblygiad y maes hyfforddi ac mae'n cynghori UEFA a chymdeithasau cenedlaethol yn ogystal â chyfrannu at y Confensiwn Hyfforddi. Nhw sy'n gwarchod safonau o fewn y proffesiwn ac mae gofyn bod aelodau'n arwyddo'r confensiwn ynghylch safonau a chyrsiau sy'n cael eu cymeradwyo gan UEFA. Pan fydd cymdeithas genedlaethol wedi cyrraedd safon arbennig bydd UEFA yn ei thrwyddedu i gyflenwi'u cymwysterau.

Dwi'n cofio hedfan i Sweden gyda phob un o brif swyddogion yr FAW a'u gwragedd i arwyddo'r confensiwn fel Cyfarwyddwr Technegol ac ar yr adeg yma roedd Cymru ar y blaen i Loegr, oedd yn dipyn o gamp o gofio'r holl filiynau o bunnau oedd gan y wlad honno. Doedd y Saeson ddim wedi cyflawni hyn eto ond roeddwn i wedi gyrru'r maen i'r wal o ran Cymru ac roedd hyn yn beth mawr i fi'n bersonol. Ond gwleidyddiaeth! Peidiwch â sôn! Ar yr un un pryd roedd UEFA wedi trefnu cynhadledd fawr i bob un o'r cymdeithasau cenedlaethol ac roedd pwysigion o FIFA yno hefyd. Felly dyma ni'n cyrraedd y gwesty ac roedd pob Llywydd a phob Cyfarwyddwr Cyffredinol a phob Cyfarwyddwr Technegol o bob gwlad yn Ewrop yn bresennol. Hwn oedd yr uchafbwynt, yr uwchgynhadledd ei hun. Ond doeddwn i ddim eisiau bod yno achos roedd yr holl beth yn fy hala i'n benwan erbyn hyn. Ta beth, fe aethon ni i'r gwesty ac o blith y chwe deg o wledydd oedd yn cael eu cynrychioli yno yr unig un i ddod â'u gwragedd gyda nhw oedd Cymru! A dwi'n cofio David Collins, Ysgrifennydd Cyffredinol yr FAW, yn cerdded at y ddesg anferth oedd gan UEFA yn y cyntedd ac yn troi at y fenyw oedd yno i gyfarch pawb gan ddweud,

'Collins, Cymru. Licen ni gael limwsîn fory i'r gwragedd o Gymru. Maen nhw'n moyn ymweld ag ambell fan.'

Edrychodd y fenyw'n hurt arno ac roeddwn innau bron â marw. Doeddwn i ddim yn gwybod ble i edrych. A bore trannoeth am 9 o'r gloch roedd tua hanner cant o fysys yn sefyll mewn rhes mas tu fas i'r gwesty yn barod i fynd â phawb i'r ganolfan ar gyfer y confensiwn ac o flaen y bysys roedd limwsîn â'r geiriau 'Wales Wives' arno fe. Roeddwn i'n digwydd bod yn cerdded y tu ôl i Michel Platini a Lennart Johansson a dwi'n cofio un o'r cynadleddwyr eraill, nid nhw, yn dweud,

'Aha, Cymru. Sdim rhyfedd nad 'yn nhw byth yn ennill!'

I'r gwledydd eraill, roedd yn edrych fel petai Cymru wedi dod ar joli bach, tra oedd pawb arall wedi mynd yno i drafod busnes.

Tua thair wythnos yn ddiweddarach, roeddwn i'n gorfod mynd i gyfarfod yn y Drenewydd ar ran Ymddiriedolaeth yr FAW.

Yr adeg honno roedd yr FAW wastad yn cadw'r Ymddiriedolaeth
yn brin o arian (mae'n wahanol nawr) ac roedd disgwyl inni fod â
diffyg o ryw £60,000. Roeddwn i'n gorfod mynd i'r cyfarfod yma
a gwneud cyflwyniad ar y gyllideb ac yna gofyn yn gwrtais i'r
FAW a allen ni gael y £60,000 neu fel arall byddai swyddi pobl
dan fygythiad, ac yn y blaen. Felly, dyma fi'n cyrraedd y cyfarfod
gyda phwyllgor rheoli'r FAW ac ar yr agenda roedd chwe eitem a'r
chweched oedd 'Ymddiriedolaeth yr FAW – Mark Aizlewood'.
Yna, dyma David Collins yn dechrau siarad gan ddweud fod yr
agenda'n un hynod brysur y diwrnod hwnnw, bod amser yn
mynd i fod yn brin a'u bod nhw'n gorfod gorffen erbyn tri o'r
gloch. Y rhybudd oedd i bawb gadw trafodaethau i leiafswm, ond
cyn hynny oll – y fwydlen! Pwy oedd eisiau beth? A dyma
ddechrau casglu'r wybodaeth. A phum munud ar hugain yn
ddiweddarach, ar ôl trafod beth roedd pawb yn mynd i'w archebu
i ginio, dechreuodd y cyfarfod. Aethon ni drwy'r pum eitem
gynta ar yr agenda ond pan gyrhaeddon ni'r chweched, sef
Ymddiriedolaeth yr FAW, yn anffodus doedd dim digon o amser
i'w thrafod a byddai'n rhaid iddi aros tan y cyfarfod nesa. Roedd
hi'n bwysicach eu bod nhw'n treulio pum munud ar hugain yn
trafod y fwydlen na thrafod diffyg o £60,000 ar gyfer datblygu
pêl-droed! Allwch chi gredu shwt beth?

Hefyd, fel Cyfarwyddwr Technegol, roeddwn i'n gorfod delio â
Chyngor Chwaraeon Cymru ac roedden nhw'n hwpo'u pig i
mewn ym mhobman. Chi'n gweld, roedd y Cynulliad yn rhoi
arian tuag at bêl-droed ac roedd yr arian hwnnw'n gorfod dod
trwy'r Cyngor Chwaraeon, ond roedd y Cyngor Chwaraeon a'r
FAW benben â'i gilydd ac roedd Ymddiriedolaeth yr FAW yn ei
thro benben â'r FAW a'r Cyngor Chwaraeon! Felly, roedd hi'n siop
siafins. Erbyn y diwedd roeddwn i bron â chychwyn gwrthdaro'n
fwriadol, achos taswn i am aros yn y swydd honno am byth a
gwthio darnau o bapur ar hyd y lle heb wneud unrhyw

wahaniaeth gallwn i fod yno nawr, ond nid dyna pam es i am y swydd yn y lle cynta.

Dwi'n cofio siarad â boi oedd newydd ymuno â chyngor yr FAW ac roedd e'n frwd ac yn awyddus i wneud gwahaniaeth, a dyma fe'n dweud wrtha i ei fod e'n bwriadu gwneud hwn a'r llall ac arall. Yr ateb gafodd e gyda fi oedd, 'Fe siarada i â ti ymhen chwe mis.'

A daeth e ata i chwe mis yn ddiweddarach a'i eiriau bryd hynny oedd, 'Ti'n iawn.'

Roedd e'n gwmws fel petai aderyn ysglyfaethus, fwltur, yn eistedd yn y goeden. Tasech chi'n saethu'r fwltur yna, byddai un arall yn dod i gymryd ei le. Do, fe lwyddais i wneud gwahaniaeth mewn rhai ffyrdd, ond er mwyn gwneud newid dwfn, go iawn, mae'n rhaid newid agweddau hanesyddol y bobl yma.

Hefyd, ble bynnag byddwn i'n mynd yn y cyfnod hwnnw byddwn i'n cael strach gan wahanol rai am fy mod i ar y teledu ac am fy mod i wedi dweud hyn a'r llall am eu tîm nhw. A chyrhaeddodd e bwynt lle roedd gan bawb farn amdana i, hyd yn oed bobl doeddwn i erioed wedi siarad â nhw yn fy myw. Roedd pobl yn fy nabod oherwydd y teledu, nid oherwydd fy ngorffennol fel pêl-droediwr. Roedd y rhain yn perthyn i genhedlaeth wahanol bellach ac roedd ganddyn nhw rywbeth i'w ddweud amdana i er nad oedden nhw erioed wedi 'ngweld i'n chwarae.

Felly, roedd hyn oll yn mynd yn ei flaen yn fy mywyd ac ar ben hynny roeddwn i'n dal i yfed yn ystod y cyfnod yma. Roedd popeth yn dechrau hala fi'n wallgo. Dyma fi, Mark Aizlewood – gŵr, tad, dyn teulu, dyn cyhoeddus, pyndit ar y teledu, Cyfarwyddwr Technegol – ond rwtsh oedd y cwbl. Roeddwn i'n byw celwydd. Roeddwn i'n teimlo yn fy nghalon fod fy mywyd i gyd yn gelwydd. Ond y wyrth oedd mod i wedi llwyddo i gwato'r cyfan oddi wrth bawb. Hyd y dydd heddiw dwi ddim yn gwybod sut gwnes i hynny, ond yr hyn a ddigwyddodd yn y pen draw, wrth gwrs, oedd bod popeth wedi hala fi'n wallgo. Pan fyddwch chi mewn sefyllfa gyhoeddus, amlwg fel roeddwn i ar y pryd, rydych chi'n cwrdd â llawer o bobl amlwg eraill ac i fi roedden nhw wastad yn ymddangos mor gall, ac roeddwn innau siŵr o fod yn dod drosodd felly iddyn nhw. Ond dim ond gweld ein gilydd ydyn ni yn yr hen fyd 'ma a does dim clem gyda ni'n aml beth sy'n mynd yn ei flaen y tu ôl i'r wyneb, y tu ôl i'r fframwaith. Felly, fydda i byth yn edrych yn ddirmygus ar bobl lwyddiannus sydd â phroblemau. Roeddwn innau'n arfer bod yn un ohonyn nhw. Ar yr adeg yna, fi oedd y person mwya isel ei ysbryd ar wyneb daear Duw, ond dim ond pan fyddwn i ar fy mhen fy hun. Cyn hynny roedd cwsg yn arfer bod yn noddfa, ond bellach oni bai fy mod i'n feddw gachu doeddwn i ddim yn gallu mynd i gysgu. Taswn i'n mynd i'r gwely'n sobor byddwn i'n gorwedd ar ddi-hun am oriau a taswn i'n llwyddo i gwympo i gysgu ymhen hir a hwyr, byddai'n rhaid i fi godi fore trannoeth a rhoi'r argraff i bawb fy mod i fel y boi unwaith yn rhagor. Yn ffodus i fi, un o'r pethau a etifeddais i gan fy nhad, heblaw'r yfed, oedd etheg gwaith. Hyd yn oed nawr dwi'n dal i weithio un deg saith neu un deg wyth awr y dydd ryw ddwywaith yr wythnos a dyw e'n mennu dim arna i. Ond bryd hynny roedd y gwaith yn cyfrannu fwyfwy at y broblem a throdd yn gylch dieflig, cas.

Doedd dim gwadu nad oedd yr yfed yn ffactor anferth yn fy mywyd erbyn hyn a doedd dim dal beth fyddwn i'n ei wneud nesa. Roeddwn i braidd yn wyllt. Ces i ddigon o rybuddion ond eu hanwybyddu wnes i. Wythnos cyn i fi gael fy stopio am yfed a gyrru yng Nghaerdydd roeddwn i wedi bod yn eistedd yn feddw dwll yn swyddfa'r heddlu yng Nghasnewydd. Am ryw reswm wnaeth e ddim fy nharo i bryd hynny mod i wedi yfed gormod ond fe ddylsai'r goleuadau coch fod wedi fflachio! Wythnos yn ddiweddarach roeddwn i'n feddw unwaith eto. Roeddwn i wedi bod i seremoni Personoliaeth Chwaraeon y Flwyddyn BBC Cymru yn y brifddinas ac wedi bod yn yfed drwy'r dydd. Ta beth, ar ôl y seremoni aethon ni am bryd o fwyd a rhywbryd ar ôl hynny es i gasglu'r car, ond yn lle mynd rownd y system unffordd yng nghanol y ddinas gyrrais i'r ffordd anghywir lan y stryd 'ma a des i fwy neu lai wyneb yn wyneb â fan heddlu. Y cwbl allwn i ei wneud oedd rhoi'r allweddi i'r heddwas a dyna ni. Pan gyrhaeddais i swyddfa'r heddlu dechreuais i siarad Cymraeg â'r swyddog wrth y ddesg. Trodd hwnnw ata i a dweud yn Saesneg,

'Dwi wedi dy weld di ar y teledu a dwi'n gwbod dy fod di'n gallu siarad Saesneg. Felly siarada yn Saesneg!'

Ond wnes i ddim newid o'r Gymraeg. Gwrthodais i gymryd prawf anadl a gofynnais am i brawf gwaed gael ei gynnal gan feddyg oedd yn medru'r Gymraeg. A bu bron iawn i'r iaith Gymraeg weithio o'm plaid i fan'na achos tybiais i y byddai'n cymryd oriau cyn i feddyg Cymraeg fy nghyrraedd. Roedd hi'n dri o'r gloch y bore! Ond o fewn hanner awr fe ddaeth un a dywedodd hwnnw 'noswaith dda'. Ond dechreuais i ddadlau nad oedd y boi yma'n rhugl ei Gymraeg felly dyma nhw'n dod o hyd i un arall oedd yn gwbl rugl. Felly, cymerwyd y prawf gwaed ac erbyn hyn roedd hi'n tynnu am hanner awr wedi saith y bore. Roedd hwnnw'n iawn ac yna troais i at y sarjant a gofyn a allwn i gymryd y prawf anadl nawr. Atebodd hwnnw fel mellten,

'O, rwyt ti'n gallu siarad Saesneg felly?'

'Ga i wneud y prawf anadl nawr achos mae 'da fi gyfarfod o bwyllgor llawn yr FAW yng Nghaersws am ddeg o'r gloch ac rwy'n gorfod gyrru yno.'

Felly, fe wnes i'r prawf anadl a phasio a ches i yrru bant. Pan gewch chi brawf gwaed mae'n cymryd saith diwrnod i'r canlyniadau ddod 'nôl ac yn ystod y saith diwrnod hynny cyhoeddodd yr heddlu eu bod nhw wedi fy nghyhuddo o yfed a gyrru am eu bod nhw'n meddwl mod i'n mynd i osgoi cael fy nghosbi, dwi'n credu. Hefyd yn ystod y saith diwrnod hynny ces i fy stopio dair gwaith.

Felly, dyna oedd y cefndir ac mae angen i bobl wybod hyn, mae angen iddyn nhw wybod beth oedd y tu ôl i'r ffrwydrad a oedd ar fin digwydd. Ac fe ddaeth y ffrwydrad wrth gwrs yn Rhufain.

Ar ôl llwyddo i ddod adre i Gymru o Rufain ac osgoi cael fy arestio gan heddlu'r Eidal es i fyw mewn gwesty yng Nghaerdydd am dri mis yn hytrach nag aros gyda Penny. Fel dwi eisoes wedi sôn, roedd ein perthynas ni drosodd. Roeddwn i ar y gwaelod un a phopeth o 'nghwmpas yn deilchion. Roeddwn i newydd benderfynu rhoi'r gorau i yfed ac, er gwaetha'r help gwych ges i gan Alcoholics Anonymous, roedd e'n waith caled. Nid sôn ydw i nawr yn gymaint am y penderfyniad i stopio yfed achos fe ddes i i sylweddoli nad oedd unrhyw ddewis gyda fi ond rhoi'r gorau iddi. Sôn ydw i am yr ochr gorfforol. Mae trio sobri'n waith caled iawn ac mae'n cymryd amser. Dychmygwch y senario. Roeddwn i wedi bod yn yfed yn drwm ers ugain mlynedd a mwy ac yn sydyn reit roeddwn i'n trio sobri. Doeddwn i ddim wedi cyffwrdd â diferyn ers Rhufain ond trwy gydol y cyfan roeddwn i'n dal i geisio mynd i 'ngwaith a dod i ben â gofynion fy swydd.

Ac yn ystod yr adeg yma digwyddodd helynt gyda'r BBC. Roeddwn i'n dal i weithio iddyn nhw ar y pryd ond roedd y BBC yn prysur droi'n un o'r gwasgfeydd hynny yn fy mywyd roeddwn i'n awyddus i gael gwared â nhw. Fe ddigwyddodd am fy mod i wedi colli fy limpin yn llwyr am rywbeth roeddwn i wedi delio ag e gannoedd o weithiau yn y gorffennol, a hynny'n syml am nad oeddwn i wedi yfed diferyn o alcohol am dri mis. Roedd fel tase morthwyl yn fy mhen a doeddwn i ddim yn gallu gwneud penderfyniadau rhesymegol ar y pryd. Ta beth, roeddwn i'n dal yn Gyfarwyddwr Technegol Ymddiriedolaeth yr FAW ac roedden ni wedi awdurdodi cwmni i drefnu ambell daith. Cafodd y teithiau gefnogaeth FIFA ac fe wnaethon ni gymeradwyo'r cwmni yma i'n chwaraewyr ifanc ledled y wlad. Aethon nhw ar daith gyda'r cwmni ond, fel y digwyddodd hi wnaeth y daith ddim cyrraedd eu disgwyliadau. Roedd yn wahanol i'r hyn roedden nhw'n meddwl eu bod nhw wedi'i brynu. Fe aethon nhw i lefydd fel Real Madrid a Barcelona, ond doedd eu rhieni ddim yn fodlon â'r hyn a gafwyd. Felly dyma raglen *X-Ray* yn y BBC yn fy ffonio ac yn gofyn am gyfweliad. Doedd gyda fi ddim byd i'w guddio felly cytunais i. Eisteddais i gyda'r gohebydd, Jane Harvey, ac eglurais i wrthi cyn i'r cyfweliad ddechrau yr hyn y byddwn i'n ei ddweud am fy mod i wedi trafod â'r ymddiriedolwyr, ond heb yn wybod i fi roedden nhw wedi ffilmio'r rhan yna. Nid dyma'r math o bobl roeddwn i'n gyfarwydd â gweithio gyda nhw yn y BBC, felly des i â'r sesiwn i ben. Codais i, gadewais i fy swyddfa a cherddais i mewn i swyddfa arall. Ond daethon nhw ar fy ôl i gan ddechrau dala'r camera yn fy wyneb. Dyna pryd y collais i fy limpin a gafaelais i yn y dyn camera a'i fygwth. Dywedais i wrth Jane Harvey ei bod hi'n ast a'i bod hi wedi fy nhwyllo, cyn ei gorchymyn i adael y swyddfa. A dyma fi'n ei thywys hi tuag at dair stepen. Roedd fy PA ar y pryd ar waelod y grisiau 'ma, a hithau wedi dod mas i weld beth oedd yr holl helynt. Yna neidiodd Jane Harvey i lawr y tair stepen. Roedd fy PA yn barod i fynd i'r llys i ddweud hyn oll ond doeddwn i ddim eisiau ei rhoi hi yn y sefyllfa yna. Wedyn dechreuodd y cynhyrchydd ddadlau â fi ac yn y diwedd dywedais i wrthyn nhw am ffwcio o'na yn y bôn gan nad oeddwn i'n arfer gweithio fel hyn. Ac fe'u taflais i nhw mas o'r swyddfa.

A thorri stori hir yn fyr, roedd y gohebydd wedyn eisiau dwyn achos yn fy erbyn i am ymosod. Dywedodd y bargyfreithiwr wrtha i y byddai 99 y cant o ddigwyddiadau fel hyn yn cael eu setlo drwy gael gair â'r heddlu, ond roedd hi am i'r achos fynd gerbron y llys oherwydd y rhaglen. Ta beth, rhwng un peth a'r llall bu'n rhaid aros am hydoedd cyn i'r mater fynd i'r llys. Gallwn i fod wedi gofyn i'm PA fod yno fel tyst ond, a minnau'n alcoholig oedd yn trio gwella, penderfynais yn erbyn hynny a derbyn beth bynnag gâi ei daflu ata i. Yr hyn doeddwn i ddim yn gallu ei wneud oedd sôn fy mod i wedi bod yn alcoholig ers ugain mlynedd a mod i wedi bod yn trio ailadeiladu fy mywyd ers tri mis. Gallwn i ddychmygu'r stori a'r penawdau yn y papurau newydd tase rhywbeth fel'na wedi dod mas hefyd. Doeddwn i ddim yn teimlo bod y bobl oedd yn agos ata i ac yn trio adennill ffydd yno' i yn barod am yr holl sylw fyddai wedi dod yn sgîl hynny a doedd dim amdani felly ond cymryd popeth oedd yn cael ei daflu ata i heb achwyn. A dyna wnes i. Tase pobl wedi clywed y gwir byddai wedi bod yn haws o lawer i fi ond yn fwy anodd i'r bobl oedd yn agos ata i. Y rhain oedd y bobl oedd wedi dod yn ail gen i ers ugain mlynedd a bellach roeddwn i'n eu rhoi nhw'n gynta. Roedd pobl o fewn y BBC yn gwybod beth ddigwyddodd a ddylai'r mater ddim fod wedi mynd mor bell. Beth bynnag, fe ges i fy atal rhag gweithio i'r BBC. Wnaethon nhw ddim rhoi'r sac i fi, gadewch inni gael hynny'n gwbl glir. Yr hyn wnaethon nhw oedd peidio ag adnewyddu fy nghytundeb ac fe dalon nhw fi tan y diwedd yn deg. Maen nhw wedi gofyn i fi weithio iddyn nhw sawl gwaith ers hynny ond fyddwn i byth yn ystyried camu dros drothwy'r BBC eto. Dim gobaith.

Ychydig fisoedd wedyn collais i fy swydd gydag Ymddiriedolaeth yr FAW. Roedd hynny'n anochel, roedd e'n mynd i ddigwydd, ac roeddwn i eisiau gadael ta beth. Yn y bôn ces i'r sac achos mod i wedi gweiddi a rhegi ar staff. Roedd y cyfan yn fy ngyrru i'n benwan. Heb ronyn o amheuaeth fe wnes i gyfrannu at fy nghwymp fy hun, ond erbyn iddyn nhw roi cic mas i fi roedd yno agenda agored bron iawn i gael gwared â fi. Roeddwn i'n rhy barod i gynhyrfu'r dyfroedd, i herio'r drefn. Mae colli dwy swydd fawr fel'na yn beth mawr, ond wyddoch chi, dyna'r peth gorau ddigwyddodd i fi erioed achos tase hynny heb ddigwydd fyddwn i ddim ar y ddaear 'ma nawr. Mae hynny'n ffaith i chi. Roedd y bobl hynny roddodd y sac i fi'n meddwl eu bod nhw wedi 'nal i ond, wrth edrych 'nôl, fe wnaethon nhw achub fy mywyd.

Wedi hyn oll, y cwbl roeddwn i am ei wneud oedd mynd i weithio mewn ffatri a chael bywyd didrafferth. Ond pwy mewn difri calon oedd yn mynd i roi swydd i foi oedd newydd gael y sac, oedd wedi bod yn y llys ar gyhuddiad o yfed a gyrru, oedd wedi cael ei erlyn am ymosod ar rywun? Doedd dim dewis gyda fi ond dechrau fy musnes fy hun, felly. A dyna wnes i achos dyna'r unig lwybr oedd ar agor i fi. Ond tua'r adeg yma, a minnau ar fy nhin, ces i alwad ffôn hollol annisgwyl oddi wrth Jeff Thomas, cadeirydd clwb pêl-droed Caerfyrddin. Roedd ei dîm ar waelod y cynghrair ar y pryd. A dwi'n cofio'r sgwrs yn berffaith.

'Gwranda, sdim ots 'da fi beth ti 'di neud. Sdim ots 'da fi am y cyhuddiad . . . am fusnes yr ymosod. Sdim ots 'da fi am yr yfed. Mae angen hyfforddwr da ar 'y nghlwb pêl-droed. Wnei di helpu ni?'

A wnes i ddim hyd yn oed trafod arian gyda fe.

'Bydda i gyda chi ddydd Mercher i hyfforddi,' atebais. 'Diolch yn fawr iawn.'

A bant â fi i'r Gorllewin! Y cwbl roeddwn i'n moyn ei wneud oedd mynd i hyfforddi tîm pêl-droed. Doeddwn i ddim am gynnal unrhyw gyfweliadau a doeddwn i ddim am wneud dim byd cyhoeddus. Y cwbl roeddwn i am ei wneud oedd hyfforddi'r tîm ac ymfalchïo yn y ffaith bod rhywun yn fy ngwerthfawrogi am yr hyn oeddwn i ac am y talentau oedd gen i. Wel, fe lwyddon ni i gadw'r tîm yn y cynghrair ac i ennill Cwpan Cymru a'r Cwpan Cynghrair yn nes ymlaen, a gorffennon ni yn Ewrop bedair gwaith. Yn y cyfamser, fe adewais i am gyfnod o naw mis er mwyn ymuno â Rushie yng Nghaer, ond doedd dim llawer o ddyfodol yn mynd i fod i hynny. Felly, fe ddychwelais i Gaerfyrddin a ches i 'nerbyn 'nôl yn llawen.

Cyfleoedd newydd:
bywyd newydd 2004–nawr

Yng Nghaerfyrddin mae'r clwb yn fwy na jest clwb pêl-droed. Mae gyda ni gynllun cymunedol hefyd, rhywbeth dwi'n ei gydlynu. Mae datblygu'r ochr yna'n mynd o nerth i nerth ac r'yn ni wedi llwyddo i ddenu gwerth cannoedd o filoedd o bunnau mewn grantiau. Erbyn hyn mae gyda ni glwb a chaffi i'r gymuned ac adnoddau dysgu ar gyfer pobl leol. Yng ngolwg rhai, mae'r Gorllewin yn ardal eitha llewyrchus ond dyw hi ddim mewn gwirionedd. Mae'n ardal wledig ac mewn mannau mae'n reit dlawd, ac mae'n ardal sydd hefyd yn dioddef o broblemau hanesyddol. Yng nghlwb Caerfyrddin mae'r rhan fwya o'r pwyllgor yn siarad Cymraeg ac felly dwi'n cael cyfle'n aml i ymarfer fy Nghymraeg gyda nhw, a dwi'n croesawu hynny. Hefyd, mae popeth r'yn ni'n ei ddarparu o'r rhaglen gymunedol yn ddwyieithog. Felly mae'r Gymraeg, fel dwi eisoes wedi sôn, yn chwarae rhan bwysig yn fy mywyd.

Yn ogystal â'm gwaith yng Nghlwb Pêl-droed Caerfyrddin mae gyda fi swydd arall (wel dwy a dweud y gwir ond fe sonia i am y llall yn y funud). Gyda 'mhartner busnes, Paul Sugrue, sydd hefyd yn gyn-bêl-droediwr, dwi'n darlithio trwy gyfrwng y Gymraeg mewn pedair ysgol gyfun – tair yn Rhondda Cynon Taf, sef Ysgol y Cymer, Rhydywaun a Gartholwg, a'r llall yw Ysgol Maes Garmon yn yr Wyddgrug. Cyrsiau sy'n cynnig cyfle i ddisgyblion ennill cymwysterau galwedigaethol addysg ôl-16 ydyn nhw ac maen nhw wedi bod yn llwyddiannus iawn. Pan ddechreuon ni roedd gyda ni ryw 16 o bobl ifanc ar y cwrs ond erbyn hyn mae gyda ni rhwng 70 ac 80.

Pan oeddwn i'n arfer chwarae pêl-droed byddwn i'n cael gwefr ac yn teimlo'n fodlon iawn fy myd wrth glywed chwiban y dyfarnwr ar ôl rhedeg o gwmpas y cae am 90 munud, yn enwedig os oedden ni wedi ennill. I ryw raddau dwi wedi llwyddo i ddod â'r cyffro hwnnw i'r stafell ddosbarth erbyn hyn. Pan fydd bachgen neu ferch, achos mae 'na ferched ar ein cyrsiau hefyd, yn cerdded trwy'r drws ar ddiwrnod cynta'r cwrs bydda i'n gweld hynny fel y dyfarnwr yn chwythu'r chwiban ar gyfer dechrau'r gêm ac mae pob math o sialensiau i'w hwynebu gyda nhw. Yn ystod y gêm honno, yn yr achos yma blwyddyn academaidd sy'n para naw mis, byddwn ni'n dyst i bob math o uchafbwyntiau a siomedigaethau, ond bydd y daith yn un dda i ni ac i'r disgyblion. Mae rhwng 98 y cant a 99 y cant yn pasio ac mae rhai o'r bobl ifanc hyn yn cyflawni rhywbeth am y tro cynta yn eu bywyd. Y chwiban ola yw pan maen nhw'n derbyn eu tystysgrifau a bydda i'n teimlo'r un wefr a'r un bodlonrwydd eto wrth eu gweld nhw'n gadael fy nosbarth â rhywbeth yn eu llaw, yn enwedig efallai ar ôl i ryw addysgwr eich rhybuddio ynghynt nad ydych chi'n debygol o gael dim byd gan y bachgen arbennig yna neu'r ferch arbennig yna am eu bod nhw wedi bod yn yr ysgol ers pedair, pum neu chwe blynedd a gwastraff amser yw ceisio'u perswadio i gyflawni dim byd. A phan fydda i'n mynd i nosweithiau rhieni ac i'r cyflwyniadau pan fydd y bobl ifanc 'ma'n derbyn eu tystysgrifau a phawb yn y lle'n cymeradwyo, mae fel profi gwefr y dorf mewn gêm bêl-droed. Dyna un agwedd o'r hyn dwi'n ei wneud ar hyn o bryd.

Dwi a 'mhartner busnes yn athrawon trwyddedig. Mae gan y ddau ohonon ni Dystysgrif Addysg i Raddedigion ac un o'r rhesymau dros wneud hynny oedd er mwyn osgoi'r posibilrwydd y gallai rhai pobl ein hystyried ni'n llai nag athrawon traddodiadol fel y cyfryw. I'r ddau ohonon ni roedd hi'n fater o ddangos i bobl ein bod ni'n gallu gwneud yr hyn maen nhw'n gallu ei wneud a chael ein derbyn yn y cylchoedd dysgu. Fe wnaethon ni hynny er ein mwyn ni ein hunain yn hytrach nag er mwyn y disgyblion. Doedd dim rhaid inni. Felly, es i i'r coleg un noson yr wythnos am ddeunaw mis ac, ar ôl hynny a llawer o waith cartre, fe enillais i'r cymhwyster. Efallai bod hynny'n deillio o'r dyddiau pêl-droed a'r agwedd 'reit, fe ddangosa iti'. Ond mae modd inni fod yn wahanol i athrawon eraill, achos y tir cyffredin i'r rhan fwya o'r disgyblion hyn yw eu diddordeb mewn chwaraeon, a gyda Paul a fi maen nhw eisiau holi sut beth oedd e i fod yn bêl-droediwr proffesiynol a hwn a'r llall ac arall, ac mae'n bosib inni sôn am rai pethau heb fradychu na datgelu dim o bwys am neb. Felly, mae hynny'n helpu'n fawr iawn. Dwi ddim yn un o'r addysgwyr 'ma sy jest yn mynd i wthio pethau i lawr eu gyddfau. Dwi'n dod o gefndir lle dwi wedi llwyddo i wneud yr hyn y bydden nhw wedi dwlu ei wneud, a dyma fi bellach mewn sefyllfa lle dwi'n sefyll o'u blaenau ac yn dweud,

'Mae angen ichi wneud hyn a'r llall er mwyn gallu cyflawni pethe ac fe wnawn ni'ch helpu chi i wneud hynny.'

Felly, er ein bod ni'n athrawon cymwys nid athrawon traddodiadol mohonon ni. Ac yn ein dosbarth ni, os bydd rhywun eisiau rhegi fe gaiff regi. Os bydd rhywun eisiau bwyta losin fe gaiff fwyta losin. Os bydd rhywun eisiau mynd mas i gael ffag fe gaiff fynd mas i gael ffag. Ond mae gyda ni reolau hefyd, cofiwch. Mae gyda ni linellau yn y tywod pan mae'n dod yn fater o ddisgyblaeth ac ymddygiad. Efallai bod ein llinellau ni'n wahanol i'r llinellau traddodiadol ond maen nhw'n gadarn iawn ac r'yn ni'n cadw atyn nhw. Yr hyn sy'n digwydd weithiau yw y bydd ambell un ar y dechrau'n trio mynd gam ymhellach a chroesi'r llinell ond, yn y pen draw, maen nhw'n gwybod ble'n gwmws mae'r llinell ac mae rhai wedi cael eu taflu oddi ar y cwrs. Mae gofyn eu bod nhw'n cynnal presenoldeb o 90 y cant er mwyn aros ar ein cwrs. Dyna'n rheol ni. Yn draddodiadol mae ysgolion yn llwyddo i ddenu presenoldeb o oddeutu 67 y cant ar gyfartaledd ar gyrsiau cyffelyb. Felly, mae'r amgylchedd yn un disgybledig ac mae'r pwysau gwaith sydd ar y myfyrwyr yn anferth. Pan maen nhw'n dod aton ni does gan y rhan fwya ddim gobaith caneri cael job da, byddwn i'n meddwl, ond pan maen nhw'n gadael maen nhw'n llawer mwy addas ar gyfer byd gwaith. R'yn ni hefyd yn browd o'r ffaith bod 77 y cant o'r rheiny sy'n mynd trwy ein cyrsiau yn llwyddo i gael gwaith wedyn, ac mae hynny'n uchel iawn. Ond ymhlith y pethau sy'n rhoi'r balchder mwya i ni yw'r rhannau o'r cwrs sy ddim yn cael eu mesur i ddibenion ariannu; y canlyniadau 'meddal' fel hunanhyder a hunan-barch, y rhyngweithio cymdeithasol a'r gallu i gynnal sgwrs. Mae'r gwahaniaeth r'yn ni'n ei weld yn y bobl ifanc yma rhwng dechrau'r cwrs a'r diwedd yn anferthol a phan mae rhieni'n dod atoch chi a gofyn,

'Beth 'ych chi wedi neud 'da fe? Mae e'n grwt gwahanol,' mae fel sgorio gôl.

Mae'n amlwg bod 'na alw am y cyrsiau 'ma. Fe ddechreuodd yr holl fenter pan aeth ymgynghorydd addysg at fy mhartner busnes a dweud wrtho fe fod 'na brinder affwysol o siaradwyr Cymraeg oedd yn dewis mynd am swyddi yn y diwydiant chwaraeon a hamdden. Gofynnodd hi iddo fe a oedd e'n nabod rhywun allai fynd i mewn i ysgolion a dysgu'r cymhwyster yma. Dyna pryd cysylltodd Paul â fi. Ar y dechrau cynllun peilot oedd e wedi'i ariannu gan Lywodraeth y Cynulliad. Gofynnon nhw inni redeg peilot mewn tair ysgol i weld beth fyddai'n digwydd. Ac fe dyfodd o fan'na. Erbyn hyn mae'r ysgolion yn ariannu'r cwrs trwy eu cyllideb fewnol. Mae'r cyrsiau'n talu amdanyn nhw eu hunain. Mae'n dda iddyn nhw ac maen nhw'n dda i ni. Pobl ifanc 16–18 oed yw'r myfyrwyr sy gyda ni a dyma'r math o ddisgybl fyddai byth yn mynd 'nôl i'r ysgol oni bai am y cwrs chwaraeon. Fydden nhw

byth yn mynd i'r coleg, nid am eu bod nhw'n dwp ond am nad yw
addysg draddodiadol yn eu siwtio. Byddai'r rhan fwya wedi ymuno
â'r ciw dôl. Oni bai am bêl-droed byddwn i wedi bod fel y criw 'ma.
Bellach mae'r Cynulliad yn ein talu i hyfforddi athrawon i redeg y
cyrsiau hyn. I raddau helaeth, addysg alwedigaethol yw'r ffordd
ymlaen ac mae'r ffordd mae pobl yn edrych ar hyn yn newid. Dyw
addysg o'r fath ddim jest ar gyfer plant anodd. Mae ar gyfer pawb.
Dwi wedi trio siarad ag un o'r ysgolion yn y Gorllewin am y gwaith
r'yn ni'n ei wneud gyda chymwysterau galwedigaethol ond mae 'na
duedd dros y blynyddoedd i'r Gorllewin wneud mwy ag addysg
draddodiadol yn hytrach na galwedigaethol ac oherwydd hyn mae
trio torri'r mowld hwnnw'n anodd iawn. Dyw'r ardal ddim i gyd yn
academaidd ac mae ambell le ymhlith y wardiau mwya
difreintiedig yng ngwledydd Prydain. Mae 'na lawer o bobl ifanc
yno sydd angen ychydig o help.

Pan oeddwn i'n ifanc gadewais i'r ysgol heb unrhyw
gymwysterau ac un o'r rhesymau dros wneud hynny oedd achos
mod i'n casáu'r athrawon. Doedden nhw ddim fy math i o bobl.
Doedd yr amgylchedd greon nhw ddim yn fy siwtio. Yr hyn dwi a
Paul yn trio'i wneud yw creu amgylchedd sy'n siwtio'r dysgwr. Dwi
wedi datblygu fel athro a dwi wedi datblygu hefyd fel hyfforddwr
pêl-droed ac mae 'na gysylltiad mawr rhwng y ddau. Mae'n debyg
nad oes llawer o wahaniaeth rhwng beth dwi'n ei wneud yn y
dosbarth a beth dwi'n ei wneud yn y clwb pêl-droed ar un olwg.
Mae dysgu eraill a cheisio cael pobl i ddeall sut i ddysgu wedi bod
gyda fi drwy gydol fy ngyrfa bêl-droed. Ond mae'r dulliau didactig
'gwna hyn, gwna'r llall' wedi cwpla bellach. Un o'r pethau dwi'n eu
gwneud yng Nghaerfyrddin gyda'r holl waith technegol yw gwneud
yn siŵr nad ydw i jest yn hyfforddi'r chwaraewyr. Yn hytrach, dwi'n
trio dysgu'r gêm iddyn nhw hefyd fel eu bod nhw'n gallu ei deall yn
y dyfodol. Mae rhai eisiau dysgu, dyw eraill ddim. Dwi'n cofio
rhywbeth ddigwyddodd unwaith pan oeddwn i yn Charlton

Athletic yng nghyfnod Lennie Lawrence. Y rheolwr cynorthwyol ar y pryd oedd Eddie May. Ta beth, roedden ni'n colli yn erbyn rhyw dîm neu'i gilydd ar yr hanner a dyma Lennie Lawrence yn dechrau siarad â ni am y peth. A dechreuais i agor fy ngheg i ddweud rhywbeth, ond myn uffarn i, cyn i fi gael cyfle i yngan gair bron, dyma Eddie May yn torri ar draws fel mellten.

'Smo ti'n cael dy dalu i feddwl. Rwyt ti'n cael dy dalu i whare!'

Am ffŵl. Am beth twp i'w ddweud. Ond dwi wedi cofio hynny a'r hyn dwi'n trio'i wneud yw parchu barn pobl eraill achos mae gan bobl farn. Dyw'r agwedd awtocratig, unbenaethol erioed wedi fy siwtio ond mae'n dal i fodoli. Wedi dweud hynny, gyda phêl-droed ar y lefel ucha dwi'n credu taw'r chwaraewyr sy'n rheoli pethau nawr. Nhw yw'r bòs. Doedd hi ddim yn arfer bod fel'na. Mae 'na un neu ddau o hyd, rhai fel Ferguson neu Arsène Wenger, sy'n gallu bod fel'na ond mae'r gweddill ar drugaredd y chwaraewyr. Pryd mae dyn yn clywed y dyddiau hyn am chwaraewyr yn cael eu cloi yn y stafell newid am 30 neu 40 munud? Does ond eisiau ichi wrando ar gyfweliadau â rheolwyr ar ddiwedd gêmau, yn enwedig y rheiny yn Uwchgynghrair Lloegr. Fyddan nhw byth yn beirniadu'r chwaraewyr. Os ydyn nhw wedi colli byddan nhw wastad yn canmol y tîm arall, mor dda oedden nhw, a bod chwaraewyr wedi gwneud popeth allen nhw yn erbyn un o dimau gorau'r wlad ac yn y blaen. Ond os ydyn nhw'n ennill, diolch i'r chwaraewyr mae hynny! Dwi ddim yn gwybod ai dyna'r peth iawn, cofiwch, ond mae'n debyg bod rhaid ichi ddatblygu ac addasu. Fel arall byddwch chi'n marw. Mae'n digwydd hyd yn oed ar lefel genedlaethol. Heb os nac oni bai fe wnaeth John Toshak ddioddef o hyn. Fe ddaeth e i mewn ac roedd e eisiau gwneud pethau mewn ffordd arbennig, ond roedd chwaraewyr yn gyfarwydd â gwneud pethau mewn ffordd arall ac ar un adeg fe fu bron iawn i'r chwaraewyr ennill. Buon nhw bron â chael gwared ar Toshak ond wnaethon nhw ddim llwyddo, a'r hyn ddigwyddodd wedyn oedd bod sawl un wedi penderfynu ymddeol o'r gêm ryngwladol. Ond, ar ddiwedd y dydd, John Toshak a enillodd ac erbyn hyn mae e'n dechrau gweld ffrwyth ei lafur fel hyfforddwr.

Mae'n digwydd hyd yn oed mewn clwb fel Caerfyrddin. Fel dwi wedi sôn, fe adewais i ar un adeg i fynd at Rushie yng Nghaer a phan ddychwelais i Gaerfyrddin roedd pethau wedi newid. Roedd criw o chwaraewyr hŷn yno wedi dechrau rhedeg y lle, a daeth unigolyn yn y clwb ata i (wna i ddim dweud pwy ond sdim angen i chi fod yn athrylith i weithio hynny mas) a dweud,

'Clira nhw mas!'

Ac fe aethon nhw. Felly mae'n digwydd ar bob lefel. Y funud mae gyda chi sefyllfa lle mae chwaraewyr yn trio rhedeg clwb pêl-droed, dyw hynny ddim yn iawn. Rhydd i bawb ei farn ond, ys dywedodd Brian Clough unwaith,

'Bydda i'n gwrando ar beth sy gan y chwaraewyr i'w ddweud ac yna fe wnân nhw beth on i'n mynd i' wneud ta beth!'

A dyna fe yn y bôn. Cyfrinach gweithio mewn tîm yw perswadio grŵp o bobl i ddod yn rhan o rywbeth tra'n gwneud iddyn nhw feddwl taw eu penderfyniad nhw oedd y cyfan. Felly hefyd ar ein cyrsiau. Byddwn ni'n perswadio'r bobl ifanc i wneud eu gwaith yn y ffordd r'yn ni am iddyn nhw ei wneud e ond ar yr un pryd byddwn ni'n eu darbwyllo taw nhw eu hunain feddyliodd amdano. Dyna'r allwedd wrth reoli ac mae'n dod gyda phrofiad.

Rhan arall o'm gwaith, ond nid fy mhrif incwm, yw'r cwmni rheoli pêl-droedwyr ifanc sy gyda ni. Mae 90 y cant ohonyn nhw'n bêl-droedwyr ifanc o Gymru ac maen nhw'n dod ar ein llyfrau pan maen nhw'n cyrraedd tua phedair ar ddeg oed. A dweud y gwir, mae'r teulu cyfan yn dod yn rhan o'r peth ac mae'n llwyddiannus iawn. Y dyddiau hyn mae angen cyngor ar y chwaraewyr ifanc yma ac ar eu teuluoedd, ond pan oeddwn innau'n bêl-droediwr dim ond y prif chwaraewyr oedd ag asiant. Roedd yn rhaid i'r gweddill ohonon ni fwrw iddi ar ein pennau'n hunain. Erbyn hyn mae cymaint yn digwydd yn y byd pêl-droed ac mae cymaint o ddylanwadau y tu fas i'r gêm i dynnu sylw bois ifanc. Felly, mae gyda ni seicolegydd chwaraeon yn rhan o'r tîm i ddelio ag unrhyw bryderon sy ganddyn nhw, boed yn faterion yn ymwneud â'r teulu, eu hyder, beth bynnag. Tua diwedd fy nghyfnod i fel chwaraewr roedd seicolegwyr chwaraeon wedi dechrau dod yn eitha poblogaidd. Yn Uwchgynghrair Lloegr bellach mae gan 98 y cant o'r chwaraewyr seicolegydd chwaraeon ond maen nhw'n delio â nhw'n breifat, wyneb yn wyneb, yn hytrach na mewn grŵp.

Mae 'na bont amlwg rhwng y pêl-droed a'r cyrsiau a'r cwmni rheoli. Maen nhw'n mynd law yn llaw â'i gilydd. Weithiau d'ych chi ddim yn sylweddoli y gall rhywbeth r'ych chi'n ei wneud nawr chwarae rhan fawr yn eich bywyd yn nes ymlaen. Pan ddaeth y contract gyda'r ysgolion, er enghraifft, aeth y cwbl 'nôl i'r anaf hwnnw yng Nglyn Ebwy a'r penderfyniad i ddysgu Cymraeg. Fel dwi wedi sôn yn barod, Ian Gwyn Hughes oedd wedi awgrymu y dylwn i ddysgu'r iaith ac yn eironig ddigon Ian oedd yr un a ddywedodd wrtha i'n hollol ddiniwed yng Nghaerfyrddin un tro, a hynny ar ôl i fi fynd trwy holl bennod yr yfed ac ar ôl i fi orffen gyda'r FAW a'r BBC,

'Ble aeth popeth o'i le, Aize? Roedd y cyfan gen ti ar un adeg.'

A dyma fi'n meddwl i fi fy hun,

'Does gyda ti ddim syniad, Ian bach.'

Doedd e ddim wedi sylweddoli pan ddywedodd e hynny ei bod o bosib yn ymddangos i eraill fel tase popeth gen i pan oeddwn i'n arfer gweithio i'r FAW ac i'r BBC ond, mewn gwirionedd, doedd gen i ddim byd. Hyd y dydd heddiw does neb yn gwybod beth oedd yn mynd o'i le yn fy mywyd yn ystod y cyfnod hwnnw. A'r eironi arall oedd ei fod e wedi dweud y geiriau hynny wrtha i yng Nghaerfyrddin pan oedd pethau'n mynd yn berffaith i fi.

Ac mae pethau'n dal i fynd yn dda iawn i fi, yn fy mywyd personol ac yn fy ngwaith. Wrth lunio'r llyfr yma, nid mynd ati i sôn am yr holl achlysuron lle dwi wedi gwneud cam â phobl agos ata i oedd y bwriad. Eto i gyd, yn y pen draw mae'n gydnabyddiaeth o hynny heb y manylu. Ac mae angen iddyn nhw wybod hynny. Y llynedd, er enghraifft, ces i'r Nadolig gorau dwi erioed wedi'i gael siŵr o fod a hynny oherwydd y cysur o wybod a derbyn ble r'yn ni i gyd wedi cyrraedd bellach fel teulu. Mae'r bobl sy'n agos ata i wedi bod trwy lawer iawn ac maen nhw wedi dod mas y pen arall. Y ffordd orau o'i egluro efallai yw dweud fy mod innau wedi gwneud hynny hefyd, ond mae'n gysur gwybod bod y bobl hyn yn aros amdana i achos fe allwn i fod wedi dod mas y pen arall a'u gadael nhw ar ôl, ond maen nhw yma o hyd ac mae hynny'n allweddol.

Dwi'n fodlon iawn fy myd ar y foment ac â'r cyfeiriad mae 'mywyd yn mynd. Pan mae rhywun yn ifanc ac yn awyddus i fynd ar ôl rhyw gôl a llwyddo mae'n rhaid gweithio a gweithio a gweithio ond mae'n anodd iawn. Ond ar ôl ichi ddod trwy'r hyn r'yn ni wedi bod trwyddo mae'n syndod pa mor llwyddiannus yw pethau nawr. R'yn ni'n cael mwy a mwy o waith ac mae hynny'n dda. Rwy'n hapus dros ben â hynny ond nawr dwi ar groesffordd lle mae'n rhaid dod i benderfyniad ynglŷn â'r dyfodol a pha mor brysur dwi am fod eto. Dwi ddim eisiau gwneud penderfyniadau sy'n golygu y byddwn ni mor brysur fel y bydd rhai o'r hen broblemau'n dod 'nôl. Felly, dwi wrth fy modd â'r man lle dwi'n sefyll ar y funud ond y cam nesa mae'n debyg yw y bydd rhaid inni lunio cynllun busnes ar gyfer y tair i bum mlynedd nesa.

Beth amser yn ôl roeddwn i'n siarad â'r boi 'ma ar y ffôn ac roedd arno fe lot o arian i ni. Ac wrth i fi siarad ag e dechreuais i nabod rhai agweddau yno' i nad oeddwn i am eu gweld yn dod i'r golwg byth eto. R'yn ni'n llwyddiannus iawn ar hyn o bryd. Ai dyma ddiwedd rhywbeth ynteu'r dechrau? Dwi'n falch ei fod yn ddiwedd ar rai agweddau am byth. Ond dechrau beth yw e? Ydw i eisiau bod yn filiwnydd sawl gwaith drosodd? Dwi ddim yn credu mod i a dweud y gwir achos byddai hynny'n golygu gorfod aberthu llawer iawn a byddai'r effaith i'w theimlo gan bobl dwi eisoes wedi'u brifo a fyddwn i byth yn gwneud hynny. Byddai'n well gyda fi fod heb glincen yn fy mhoced a bod yn hapus gyda 'mhlant.

Ydy hynny'n golygu fy mod i wedi meddalu, fy mod i wedi tyneru? Dwi ddim yn gwybod. O ran disgwyliadau dwi'n credu eich bod chi'n meddalu. Tasech chi'n gofyn i'r chwaraewyr yng Nghaerfyrddin a ydw i wedi meddalu dwi'n eitha sicr y bydden nhw'n dweud mod i ddim. Mae pêl-droed yn allanfa wych ar gyfer rhai pethau. I fod yn bêl-droediwr llwyddiannus mae'n rhaid ichi fod ag elfen ymosodol, gas ynoch chi. Fel arall allech chi mo'i wneud e. A dwi ddim yn credu y gallwch chi beidio â bod yn bêl-droediwr yn sydyn reit a cholli'r elfen honno. Yr hyn a ddigwyddodd yn fy achos i erbyn y diwedd oedd na allwn i hyfforddi bob dydd a chwarae pêl-droed a tharo yn erbyn pobl ar y cae a chael gwared â'r natur ymosodol fel'na, felly cafodd y cyfan ei wasgu a'i fygu ac wedyn daeth popeth mas trwy'r yfed. Ar ôl rhoi'r gorau i yfed ac ar ôl rhoi'r gorau i chwarae, ydw i'n dal i fod yn berson ymosodol, gwrthdrawiadol yn y bôn? Ydw, wrth gwrs fy mod i. Ond nawr dwi wastad yn gofyn y cwestiwn, 'Ydy e'n werth e?' Dwi'n dal i gefnogi achosion ond erbyn hyn dwi'n gwneud yn blydi siŵr bod rhyw achos arbennig yn werth ei ymladd, lle o'r blaen byddwn i'n barod i fynd ar ôl unrhyw beth.

Fi yw'r person ydw i heddiw oherwydd y siwrnai dwi wedi'i theithio. Un o'r pethau dwi'n ei ddifaru yw'r ffaith y gallwn i o bosib fod wedi cyflawni popeth wnes i ond heb fod wedi teithio o reidrwydd ar hyd y ffyrdd ddewisais i. Tasech chi'n gosod cân Frank Sinatra ar ben fy mywyd innau byddai'r geiriau rywbeth yn debyg i hyn,

> *'Regrets I've had millions,*
> *And it would take too long to mention the lot,*
> *But I did it my way.'*

Ydy, mae dyn yn difaru gwneud rhai pethau, miliynau o bethau, ond dwi'n credu bod 'na ambell beth mae'n rhaid i fi sôn amdano. Digon rhyfedd yw un ohonyn nhw. Pan suddais i'r dyfroedd dyfnion roedd 'na lawer iawn o bobl ar draws Cymru dwi'n credu oedd yn eitha balch bod Aize wedi cael ei haeddiant. Un o'r pethau dwi'n ei ddifaru yw taw fi oedd wedi ennyn yr emosiwn yna ynddyn nhw. Dwi'n difaru eu bod nhw'n gallu teimlo fel'na pan fwrais i'r gwaelod. Ddim er eu mwyn nhw ond er fy mwyn fy hun. Yn amlwg, un o'r pethau dwi'n ddifaru fwya yw'r gofid a'r loes dwi wedi'u hachosi i bobl agos iawn ata i. Mae pawb sy'n agos ata i wedi teimlo'r angen rywbryd neu'i gilydd yn ystod fy mywyd ac yn ystod fy mherthynas â nhw i ddweud y geiriau,

'Rwy'n dy gasáu di.'

Ambell waith mae'r geiriau hynny wedi cael eu llefaru mewn dicter neu mewn rhwystredigaeth, ond mae'r ffaith bod pob un ohonyn nhw wedi gorfod dweud hynny wrtha i ar ryw adeg yn fy mywyd, mod i wedi'u hala nhw i ddweud shwt beth, yn fy mrifo i'r byw a dwi'n difaru hynny o waelod calon. Ond dwi ddim yn beio neb am ddim byd. Wnaeth neb fy ngorfodi i fod y person oeddwn i, wnaeth neb arllwys alcohol i lawr fy llwnc. Fi a dim ond fi wnaeth hynny. Ond allwn i ddim bod wedi dod mas o'r tywyllwch a llwyddo i gyrraedd lle ydw i heddiw heb yr union bobl hynny dwi wedi'u brifo. A bydda i'n ddiolchgar iddyn nhw'n dragywydd. Maen nhw'n gwybod pwy ydyn nhw. Mae Penny, fy ngwraig, yn gwybod taw hi yw un o'r rhai penna. Wnaethon nhw ddim gofyn i fi eu brifo nhw ond fe ofynnais i am eu help pan oedd ei angen arna i. Ac roedden nhw yno'n disgwyl amdana i.

Mae gen i gymaint o falchder yn fy mhlant. Dwi'n meddwl y byd ohonyn nhw: Nikki, Jodie, Jordan a Ffion fach. Mae'r pedwar yn wych, yn wirioneddol wych. Tan yn gymharol ddiweddar nhw oedd yn gwbl gyfrifol am bopeth a gyflawnon nhw achos doeddwn i jest ddim ar gael. Doeddwn i ddim yno iddyn nhw.

Erbyn hyn mae fy merch hyna, Nikki, yn rheoli dau gant o bobl a hi sydd wedi gwneud hynny i gyd ar ei phen ei hun. Dwi mor, mor falch ohoni. Mae fy ail ferch, Jodie, wedi ennill llwyth o raddau A yn ei harholiadau ac mae'n edrych yn debyg y bydd hi'n llwyddiannus iawn maes o law. Cawr tawel yw Jordan, fy mab. Yn ôl pobl eraill, dyw e'n ddim byd tebyg i'w dad ac mae hynny'n deyrnged iddo fe! Mae e'n garedig, mae e'n ystyriol ac mae e'n serchus. Mae e'n gariad o grwt. Efallai bod peth o'r elfennau hynny yno' i yn rhywle, dwi ddim yn gwybod, a'u bod nhw heb gael cyfle i ddod i'r wyneb er pan oeddwn i'n ifanc. Ac wedyn mae Ffion gen i. Mae popeth mae hi'n ei wneud jest yn newid fy myd. Os af i i'w gwylio hi'n mynd trwy ei phethau yn y gampfa, weithiau bydd y symudiadau mae hi'n eu gwneud yn ddigon syml ond, i fi, mae hynny fel 'tawn i'n ei gwylio'n codi Cwpan y Byd!

Ar un adeg roedd fy mherthynas â phob un o 'mhlant ac â Penny wedi chwalu'n gyfan gwbl – gant y cant. Ond dwi wedi bod yn lwcus iawn achos erbyn heddiw maen nhw i gyd 'nôl ar y trywydd iawn, pob un ohonyn nhw. Ychydig bach yn ôl, ces i deirawr ardderchog yng nghwmni'r ddwy ferch hyna. Roeddwn i'n gorfod casglu tocynnau gan Rushie ar gyfer gêm rhwng Lerpwl a West Ham. Roedd e'n dod i Gaerdydd ac roeddwn i wedi trefnu cwrdd ag e. Mae Jodie yn ffan anferth o Lerpwl ac mae ei chariad yn cefnogi West Ham. Felly, daeth Nikki a'i chariad hithau, sydd hefyd yn ffan mawr o dîm Lerpwl, a Jodie gyda fi i'r gwesty i gwrdd ag Ian. Yn anffodus roedd yr M6 ar gau y diwrnod hwnnw ac oherwydd hynny roedd e ryw deirawr yn hwyr. Ac wrth inni ddisgwyl amdano fe eisteddon ni gyda'n gilydd yn y gwesty a siarad a siarad fel pobl normal. Pan gyrhaeddodd Rushie roedd e'n ŵr bonheddig, fel bob amser. Dechreuais i gael sgwrs gyda fe a chyn pen dim roedd y ddau ohonon ni'n chwerthin, fel y bydd ffrindiau. Ond pan welodd cariad fy merch Ian Rush yn sefyll yno roedd e'n ffaelu dod drosto fe. Roedd e'n syfrdan. A dyma fe'n dweud rhywbeth doniol fel,

'Ian, chi'n un o arwyr y byd pêl-droed a dyma ble 'ych chi fan hyn jest yn chwerthin!'

A dechreuais i feddwl i fi fy hun wedyn, wrth yrru 'nôl, fy mod i wedi tanbrisio ble dwi wedi bod weithiau a rhai o'r pethau dwi wedi'u gwneud a'r ffaith fy mod i'n nabod y bobl dwi'n eu nabod.

Ar y dydd Llun wedyn roeddwn i'n gorfod gyrru fy merch a'i sboner i Anfield ac unwaith eto sylweddolais i rywbeth. Roedd y bachgen yn fy holi'n dwll am hyn a'r llall gan siarad â fi am fy nghyfnod pan oeddwn i'n arfer chwarae dros Gymru a gofyn a oeddwn i erioed wedi chwarae yn Anfield ac yn y blaen. A dyna lle roeddwn i'n mynd â fe a'm merch i Anfield ac roedd e'n byw rhyw freuddwyd ac eisiau gwybod popeth. Ac yn sydyn reit torrodd fy merch ar ei draws gan ddweud,

'Gwranda, wnei di gau dy geg. 'Nhad i yw hwn, dyna i gyd. Dim ond Dad yw e.'

Heb yn wybod iddi hi, dyna'r deyrnged orau roeddwn i erioed wedi'i chael o gofio o ble roedden ni wedi dod. Achos yn y bôn, dyna'r cwbl roeddwn i wedi dymuno bod. A dechreuais i feddwl ai dyna ddiwedd rhyw daith ynteu'r dechrau? Yn ddi-os, mae'n ddechrau rhywbeth.

Os cofiwch chi fusnes y bont yn Rhufain, cyn i fi fynd ati i orwedd ar y *duvet* mawr, cwtshlyd 'na oedd yn disgwyl amdana i ar y draffordd roedd 'na ambell beth roeddwn i am ei wneud. Roeddwn i am unioni, neu geisio unioni, ambell beth sy'n dal yn ddigon poenus. Dwi ddim wedi torri gair â'm pedair chwaer ers rhyw ddeng mlynedd. Fy newis i oedd e, nid nhw. Roedden nhw i gyd yn rhan o senario oedd yn bwydo'r problemau oedd gyda fi, a chredwch chi fi, roedd gyda fi ddigon o'm problemau fy hun. Gyda phob parch i'm chwiorydd, roedden nhw siŵr o fod eisiau help oddi wrtha i ond doeddwn i ddim mewn sefyllfa i roi unrhyw help iddyn nhw. Y cyfan y gallwn i ei wneud oedd symud fy hunan bant o'r sefyllfa'n gyfan gwbl. Dwi wastad wedi cadw mewn cysylltiad â'm brawd am ei fod e'n deall rhai pethau ac yntau wedi bod yn bêl-droediwr am ugain mlynedd. Ond mae gyda fi lwyth o neiaint a nithoedd dwi ddim wedi'u gweld ers deng mlynedd a hoffwn i unioni hynny yn y pen draw er parch i'm rhieni. Does gan Ffion ddim cysylltiad â'i dwy chwaer na'i brawd a hoffwn i drio newid hynny. Mae'n dal i dorri 'nghalon pan dwi'n mynd i weld y plant hŷn nad yw Ffion yn dod gyda fi. Byddwn i wrth fy modd yn cael gwneud hynny. Ond ers peth amser bellach maen nhw wedi dechrau holi ynghylch Ffion. Maen nhw'n gofyn pethau amdani. Weithiau bydda i'n edrych yn llawn cenfigen ar y bobl hynny sydd wedi ysgaru ond sydd wedi llwyddo er hynny i gael pob un o'u plant gyda'i gilydd ar wahanol adegau.

Doeddwn i ddim eisiau ysgrifennu'r llyfr hwn fel stori am bêl-droed yn unig. Yr hyn a geir rhwng y cloriau yma yw taith person a'r daith honno wedi'i lapio'n llac o gwmpas pêl-droediwr. Mae'n bwysig dweud hynny, dwi'n credu. Bydd y rhan fwya o bobl fydd yn darllen y llyfr hwn yn gwneud hynny am fy mod i'n arfer chwarae pêl-droed. Dwi ddim mor dwp â meddwl y bydden nhw'n ei ddarllen am unrhyw reswm arall, ond roeddwn i'n benderfynol o beidio â llunio llyfr oedd ond yn sôn am bêl-droed a hwnnw'n llawn ffeithiau ac ystadegau am y gêm. Felly, os taw dyna roedd pobl am ei ddarllen, dwi'n ymddiheuro. Nid dyna oedd nod y prosiect yma i fi. Roeddwn i am i'r llyfr yma adrodd stori taith anodd. Hyd yn oed nawr, flynyddoedd ar ôl i fi roi'r gorau i chwarae pêl-droed, bydd gan lawer o bobl farn am Mark Aizlewood. Ac o blith y 99 y cant fydd â barn bydd gan 98 y cant farn negyddol. A fi sy'n gyfrifol am hynny. Nid dweud ydw i fod popeth yn hollol rong achos allwch chi ddim treulio'ch bywyd yn becso am beth mae pobl eraill yn ei feddwl. Fe ddes i'n gynnyrch yr hyn roedd angen imi ei wneud er mwyn bod yn llwyddiannus mewn maes arbennig ond doeddwn i ddim yn gallu gwahanu hynny rhag pethau eraill yn fy mywyd. Dyna yn y bôn dwi'n ceisio'i ddweud fan hyn. Dwi'n gofyn y cwestiwn: 'Allwch chi fod yn llwyddiannus a chael yr ochr arall hefyd?' Methu wnes i. Dwi'n teimlo y *gallwn* i fod wedi cael hynny o wybod beth dwi'n ei wybod nawr.

Mae 'na rai pobl sydd wedi chwarae rhan fawr yn fy helpu i fod lle ydw i heddiw. Does dim eisiau dweud eto bod fy nheulu a'm gwraig ymhlith y bobl hynny. Ond os ystyriwch chi holl gadeiryddion cyfoethog y clybiau pêl-droed mawr lle roeddwn i'n arfer chwarae, miliwnyddion sawl gwaith drosodd rhai ohonyn nhw, unwaith rydych chi'n gadael dyna fe! Dyna fyd busnes i chi, dyna'r byd pêl-droed. Fel'na mae. Does arna i ddim diolch i'r bobl hynny. Ces i 'nhalu ganddyn nhw i wneud twrn o waith ac fe wnes i jobyn da. Blydi dda. Ond mae pobl fel Jeff Thomas, cadeirydd clwb pêl-droed Caerfyrddin, yn wahanol. Fe ffoniodd Jeff fi pan oeddwn i siŵr o fod ar y gwaelod un a dweud nad oedd ots gyda fe am bethau oedd wedi digwydd yn fy mywyd o'r blaen. Y cwbl roedd e'n moyn oedd i fi fynd i helpu ei glwb pêl-droed. Mae e'n haeddu fy niolch. Dau arall sy'n haeddu fy niolch yw Alun Williams yr is-gadeirydd a Neil Alexander y prif noddwr yng Nghaerfyrddin. Maen nhw'n gwybod beth maen nhw wedi'i wneud drosto' i a fydda i byth yn gallu talu'r pwyth yn ôl yn llawn.

Am flynyddoedd lawer rhyfelwr buddugoliaethus oeddwn i a dwi wedi chwarae mewn sawl buddugoliaeth enwog. Ond, erbyn hyn, dwi'n credu'n hollol ddiffuant fy mod i wedi ennill fy muddugoliaeth fwya a dwi'n falch o gael dweud hynny. Dwi ddim eisiau mynd i ryfel ragor. Heddychwr ydw i bellach. Erbyn hyn bydda i'n chwilio am ffyrdd o ddatrys pethau yn hytrach na brwydro. Mae hynny o natur ymosodol sydd yno' i'n dod mas nawr ar ddydd Sadwrn pan fydda i'n hyfforddi Caerfyrddin. Y

dyn mewn du sy'n ei chael hi fel arfer. Druan ag e. Tasech chi'n
holi dyfarnwyr Cynghrair Cymru bydden nhw'n dweud mod i
heb newid damaid, ond mae'r ochr honno dan reolaeth bellach
achos fi yw hyfforddwr Caerfyrddin ac mae 'na gyfrifoldeb arna i
i gael canlyniadau i'r clwb pêl-droed. Ac ambell waith, yn rhan o'r
cyfrifoldeb hwnnw, mae'n rhaid ichi roi hwb fach i'r chwaraewyr.
Mae'n rhaid ichi ddadlau â'r dyfarnwr a thynnu'n groes. Ond dwi
dan reolaeth gant y cant. Dwi'n hapusach nawr na dwi wedi bod
erioed yn fy mywyd. Mae pobl sy'n agos ata i'n dechrau credu y
gallan nhw ymddiried yno' i bellach. Mae hynny'n cymryd amser
hir ac mae 'na rywfaint o waith ar ôl i'w wneud o hyd. Gyda'r
plant, er enghraifft, os yw Dad yn dweud ei fod e'n mynd i'w
casglu nhw fe wnaiff e hynny. Ac mae'r un peth yn wir gyda
Penny. O ran y bobl hynny sydd ddim mor agos ag aelodau'r teulu
ac sydd â rhagdybiaethau amdana i, does gyda fi mo'r amser i
boeni gormod am yr hyn maen nhw'n ei feddwl. Nid bod dim ots
gyda fi, ond mae gen i flaenoriaethau eraill.

Un uchelgais fu gen i ers amser maith iawn yw bod yn berson
normal, yr un peth â phobl eraill. Roeddwn i'n arfer dyheu am
fod yn anhysbys fel na allai neb fy mhoeni. Dwi ddim yn credu y
bydda i byth yn hollol gyffredin oherwydd yr holl swyddi
cyhoeddus dwi wedi'u gwneud yn y gorffennol, ond dwi wir yn
moyn byw bywyd arferol ac o dipyn i beth dwi'n teimlo mod i'n
gallu gwneud hynny fwyfwy nawr. Dwi'n gwybod ei bod hi'n
swnio braidd yn ystrydebol, ond fy uchelgais yw unioni'r pethau
drwg dwi wedi'u gwneud. Dwi hefyd eisiau parhau i ddathlu
sobreiddiwch ymhen deng mlynedd, a'r tu hwnt i hynny, tan y
diwrnod y byddan nhw'n rhoi'r clawr ar fy mocs. Os llwydda i i
wneud hynny dwi'n credu – dwi'n gobeithio – y bydd y pethau
eraill yn gofalu amdanyn nhw eu hunain.